Los volcanes de las islas Canarias

Canarian volcanoes

I. Tenerife

VICENTE ARAÑA SAAVEDRA

Nació en Las Palmas de Gran Canaria en 1939.

Doctor en Ciencias Geológicas.

Su labor docente la ha desarrollado principalmente como profesor adjunto de Petrología de Rocas Endógenas desde 1967 en la Universidad Complutense de Madrid. Actualmente imparte cursos monográficos de Doctorado en la Facultad de Ciencias Geológicas.

Es investigador científico del Instituto Lucas Mallada (C. S. I. C.) y desempeña el cargo de jefe del Laboratorio de Volcanología y Geotermia en el Departamento de Petrología y Geoquímica.

Ha sido coordinador de los programas del C. S. I. C. para la prospección geotérmica en las islas Canarias y su tarea científica la desarrolla principalmente en este archipiélago.

Ha obtenido becas de la Fundación March y de la UNESCO para ampliar estudios en Italia y Estados Unidos, especializándose en Geotermia y en Volcanología.

Vocal de la Comisión Nacional de Volcanología y miembro de varias sociedades científicas.

Ha publicado numerosos trabajos en revistas especializadas europeas y dictado conferencias y seminarios en universidades y centros de investigación nacionales y extranjeros.

Es coautor del primer libro escrito en castellano sobre volcanes: *Volcanismo, dinámica y petrología de sus productos*. Editorial Istmo, Madrid, 1974.

Es asimismo coautor del libro *Geología*, inspirado en las modernas tendencias de esta ciencia y publicado por Editorial Rueda, Madrid, 1977.

JUAN CARLOS CARRACEDO GOMEZ

Treinta y seis años. Doctor en Ciencias Geológicas.

Profesor de la Escuela Universitaria de Magisterio de La Laguna, en la que está encargado de los cursos de Geología.

Su actividad científica la desarrolla como miembro del Departamento de Petrología y Geoquímica del Instituto Lucas Mallada, C. S. I. C., participando en diferentes programas de investigación sobre las islas Canarias.

Ha cursado estudios y realizado trabajos de especialización en las Universidades de Toronto (Canadá), Coimbra (Portugal) y en los Laboratorios de la NASA en Houston (EE. UU.).

Ha introducido en España las técnicas de Paleomagnetismo, interviniendo en congresos y publicando trabajos sobre esta materia.

La aplicación de sus conocimientos a los terrenos volcánicos y más concretamente al archipiélago canario le ha permitido adquirir una gran experiencia volcanológica que se refleja en numerosos estudios técnicos de geología aplicada relacionada principalmente con problemas hidrogeológicos.

Es miembro del Instituto de Estudios Canarios, y prepara la edición de su libro *Paleomagnetismo e Historia Volcánica de Tenerife*.

LOS VOLCANES DE LAS ISLAS CANARIAS

CANARIAN VOLCANOES

I. TENERIFE

Vicente Araña **Juan C. Carracedo**

Departamento de Petrología y Geoquímica
Instituto Lucas Mallada
Consejo Superior de Investigaciones Científicas

Editorial Rueda
APARTADO 43.001 - TELEFONO 619 27 79
MADRID

Portada: José M.ª Moro
Delineación: Vicente Calleja
Mecanografía: José Luis Casaseca
Versión inglesa: Pauline Agnew

Foto portada: desde el satélite de la misión APOLO-SOYUZ.

Apartado 43.001 - Teléfono 619 27 29
Madrid (España)

I.S.B.N.: 84-7207-012-3
I.S.B.N.: 84-7207-011-5 (Obra completa)
Depósito Legal: M. 26658-1978

Imprime: FEMUSAL. C/ Esteban Terradas, s/n. Leganés (Madrid)

NOTA PRELIMINAR

El volcanismo canario ha sido objeto de numerosos trabajos de investigación, publicaciones científicas y tesis doctorales; sin embargo, poco se ha hecho para divulgar entre los no especialistas unos conocimientos básicos sobre este apasionante tema. Las razones que nos animan a intentar cubrir este vacío cultural son obvias, pero en el caso de Canarias nos parece indispensable que se entienda el volcanismo como un factor clave para el archipiélago no sólo en el marco geopolítico, sino también en muchos aspectos económicos y sociales, así como en la propia personalidad de sus habitantes y en su patrimonio cultural.

Somos conscientes de la dificultad que encierra todo trabajo de divulgación y de las lagunas que en este sentido puede presentar nuestra obra. Hemos procurado que los términos científicos usados vayan acompañados de una breve explicación, pero inevitablemente tendremos que referirnos a conceptos específicos cuya aclaración requiere unos conocimientos previos; tales fundamentos, así como una mayor información para los que deseen profundizar en la ciencia de los volcanes pueden encontrarse en los textos de Volcanología y Geología que citamos al final del libro junto a una bibliografía seleccionada. En esta relación bibliográfica destacan los mapas geológicos y las publicaciones realizadas por miembros de los Departamentos de Petrología y Geoquímica del C. S. I. C. y Universidad Complutense, ya que a la tarea investigadora de estos Departamentos debemos, en gran parte, el conocimiento que hoy se tiene sobre la volcanología canaria.

Hemos dividido el texto en dos partes precedidas de una introducción en la que se desarrollan algunos conceptos generales que ayudarán a comprender el fenómeno del volcanismo. La primera parte es descriptiva, y una seleccionada documentación gráfica será la base para reconocer tanto los materiales como las estructuras volcánicas. En la segunda parte se tratan una serie de aspectos que reflejan la incidencia social y económica de un medio ambiente tan peculiar como el que constituye este territorio volcánico e insular.

La prodigiosa variedad del volcanismo canario permite estudiar cualquier fenómeno volcánico sin salir del archipiélago. Lógicamente, determinados aspectos son más significativos en unas islas que en otras (ver Tabla-Apéndice), lo cual permite que el tratamiento de Tenerife no sea exhaustivo. En sucesivos volúmenes esperamos completar el desarrollo del tema, resaltando en cada isla aquellas características volcánicas que estén allí mejor representadas o sean más destacadas.

Entendemos que si bien la insularidad divide al pueblo canario en diferentes comunidades, es evidente que su territorio tiene una raíz única que, arrancando de las entrañas de la tierra, culmina también en un denominador común con el que se identifican mejor los actuales habitantes; no en vano para cualquier canario es tan suyo el Teide como las Montañas de Fuego, y de todos es patrimonio el nombre científico de Caldera que se tomó de la de Taburiente. Igualmente el mensaje que ignotos precursores grabaron en la roca volcánica del Hierro se identifica con los cenobios guanches horadados en las mismas rocas de Gran Canaria. Incluso la variedad de su paisaje se conjuga en los volcanes que forman las desérticas planicies de Fuerteventura y la agreste fisonomía de La Gomera.

Con la edición bilingüe hemos querido facilitar una mejor comprensión de nuestro país a los numerosos amigos que nos visitan y que se interesan por las raíces de un pueblo al que deseamos dedicar este libro, en el que esperamos pueda reconocer una de las claves de su singularidad.

PRELIMINARY NOTE

The volcanism of the Canary Islands has been the subject of many research projects, scientific publications and Doctoral Theses. However, not very much has been done to spread basic knowlege of this thrilling study among those who are not specialists. The reasons which move us to try to fill in this cultural gap are obvious, but in the case of the Canary Islands it seems most necessary that volcanism should be looked upon as a key factor for the Archipelago, not only in its geolopolitical setting, but in many economic and social aspects, as also in the very personality of its inhabitants and in their cultural heritage.

We are conscious of the difficulty that any work of propagation presents and of the gaps which in this sense may be found in our book. We have tried to accompany the scientific terms with a brief explanation, but inevitably we shall have to refer to specific concepts, the explanation of which requires some previous knoweldge of the subject. Such basic knowledge, as also greater information for those who wish to go further into the Science of Volcanoes, may be found in the texts on Volcanology and Geology which we mention at the end of the book together with a selected bibliography. The geological maps and publications carried out by members of the Department of Petrology and Geochemistry of the Superior Council of Scientific Research (C. S. I. C.) and the Department of Petrology of the University of Madrid are in this bibliography, since to a great degree, we owe the knowledge we nowadays possess about Canary volcanism to the research of these Departments.

We have divided the subject into two parts, preceded by an introduction in which some general concepts are explained which will help in understanding the phenomenon of volcanism. The first part is descriptive and a selected graphic documentation will form the base whereby both materials and volcanic structures can be recognised. The second part will deal with a series of aspects which reflect the social and economic influence of such a particular background as is this volcanic and insular terrain.

The prodigious variety of the Canary Island volcanism permits us to study almost any type of volcanic phenomenon without leaving the Archipelago. Logically, some aspects are of more significance in some of the islands than in others (see Table at the end of the book). In future works we hope to complete the subject, making special emphasis in each island of those volcanic characteristics which are best represented there or those which deserve special mention.

With this bi-lingual edition, we wish to make it easier for the many friends who visit us to understand our country and who are interested in the roots of a people to whom we wish to dedicate this book, in which we hope they find one of the keys to their unique personality.

INDICE

INDEX

INTRODUCCION. CONCEPTOS GENERALES

Hasta hace pocos años los volcanes eran interpretados como anécdotas geológicas —montañas humeantes que arrojan fuego y lava— y su estudio se limitaba, en la mayoría de los casos, a la descripción de los paroxismos efusivos y a la contabilidad de sus víctimas.

Hoy sabemos que las rocas volcánicas son las más abundantes en la superficie de nuestro planeta, alcanzando un gran espesor en todos los fondos oceánicos y en buena parte de las tierras emergidas. Asimismo, el carácter universal del volcanismo, que era previsible observando la topografía de otros planetas, se ha confirmado al estudiar las rocas lunares.

También parece que sin volcanismo no existiría vida en la Tierra, ya que las emanaciones gaseosas de los primeros episodios eruptivos contribuyeron, decisivamente, a la formación de nuestra atmósfera e hidrosfera. Otra faceta importante del volcanismo es que ha condicionado la generación de los principales yacimientos metálicos y quizá represente la solución energética del futuro. Realmente las erupciones no son sino pequeñas manifestaciones de una fabulosa cantidad de energía, que ya se utiliza en varios países.

Estas observaciones y otras muchas, puestas de manifiesto por recientes investigaciones, rechazan la consideración de los volcanes como caprichos aislados de la Naturaleza, sin mayor trascendencia ni significado. En efecto, las modernas teorías geológicas sobre deriva continental y tectónica de placas confieren la máxima importancia al volcanismo y contemplan el fenómeno eruptivo como la clave de los complicados procesos geodinámicos que tienen su origen en la propia energía terrestre. Esta circunstancia amplía notablemente el campo de la Volcanología y justifica su espectacular desarrollo, que incide de manera inmediata tanto en el rápido progreso de las Ciencias de la Tierra como en la búsqueda de recursos naturales y específicamente en la predicción y control de las erupciones volcánicas actuales. Son, especialmente, estos objetivos prácticos los que impulsan la gran atención que se presta a la Volcanología en los países desarrollados.

Por otra parte, la expresión «vivir sobre un volcán» puede aplicarse sin metáfora a millones de personas, y es lógico que la ciencia y la sociedad se preocupen por prever y paliar, en lo posible, las consecuencias negativas del volcanismo actual. Las tareas de predicción y vigilancia de erupciones cuentan, ya, con gran experiencia y éxitos en numerosos países. Prácticamente en todas las regiones volcánicas activas pobladas (el archipiélago canario es todavía una incomprensible y lamentable excepción) existen centros de investigación u observatorios que vigilan, continuamente, la actividad latente de los volcanes.

Los menores movimientos sísmicos o microsísmicos, las variaciones geodimétricas de milésimas, cualquier anomalía magnética o gravimétrica y las alteraciones en el quimismo de manantiales y fumarolas son cuidadosamente registradas e interpretadas por los volcanólogos, porque pueden anunciar el comienzo de una erupción. El principal problema en la interpretación de estos síntomas premonitorios es su variabilidad de una zona volcánica a otra, de ahí que los observatorios más antiguos, que han acumulado mayor número de datos en su región, sean los más eficaces, precisamente por el valor empírico que tienen las observaciones de sus científicos.

Until a few years ago, volcanoes were thought of as being geological anecdotes. Smoking mountains which emit fire and lava. Their study was limited, in most cases, to describing their effusive paroxysms and to counting their victims.

We know nowadays that volcanic rocks are those which most abound on the face of our planet, forming a thick layer in all the oceanic floors and covering large parts of the land. In the same way, the universality of volcanism which could be foreseen upon observing the topography of other planets, has been confirmed by the study of the lunar rocks.

It also appears that without volcanism life would not exist on Earth, since the emanation of gas during the first eruptive phases contributed decisively to the formation of our atmosphere and hydrosphere. Another important aspect of volcanism is that it has influenced the generating of the main ore deposits and may be the solution to the energy problems of the future. Volcanic eruptions are really no more than small demonstrations of a tremendous amount of energy, already put to use in several countries.

These observations and many others, brought to light by recent research belie the opinion that volcanoes are simply isolated whims of nature, unimportant and insignificant. Indeed, modern geological theories on Continental Drift and plate tectonics, bestow the maximum importance on volcanism and look upon the eruptive phenomenon as being the key to the complicated geodynamic processes which originate in the Earth's own energy. This fact notably widens the field of volcanology and justifies its spectacular advance, closely influencing not only the rapid progress of Earth sciences but also the research for natural resources and specially the prediction and control of present volcanic eruptions. These are the most practical reasons for the attention devoted to volcanology in the more developed countries.

The expression «to live on top of a volcano» can be applied literally to millions of people and it is only logical that science and society be preoccupied about foreseeing and palliating, as far as possible, the negative consequences of present day volcanism. Research, prediction and surveillance of eruptions have provided great experience and many successes in numerous countries. Practically in every inhabited and volcanically active region (the Canary Islands are still a lamentable and incomprehensible exception) there are Research Centres and observatories engaged in permanent vigilance of latent volcanic activity.

The slightest seismic or microseismic movements, very small geodymetric variations, any magnetic or gravimetric anomalies or alterations in the chemistry of fountains and fumaroles are carefully registered and interpreted by volcanologists, because they may announce the beginning of an eruption. The principal problem in the interpretation of these premonitory symptoms is their variability from one volcanic zone to another, hence the oldest observatories which have accumulated greater numbers of data in their region are the most efficient, precisely because of the empiric value of the observations of their scientists.

The number of victims of volcanism is really very small, when compared to those of other natural events, such as earthquakes, floods, tornadoes, etc. On the other hand, the majority of the 200.000 supposed victims of volcanoes are due to indirect effects like famines and epidemics, aftermath of eruptions in previously deprived regions.

En realidad, el número de víctimas debidas al volcanismo es muy pequeño si se compara con las producidas por otros fenómenos naturales, como los terremotos, inundaciones, tornados, etc. Por otra parte, la mayoría de las 200.000 muertes achacadas a los volcanes se deben a efectos indirectos, tales como el hambre y las epidemias que las erupciones dejan como secuela en regiones ya de por sí deprimidas.

Las áreas volcánicas activas están perfectamente delimitadas y en cada una de ellas se conoce el tipo de volcanismo que puede desarrollarse. Lógicamente, los centros de investigación volcanológica y los observatorios mejor equipados se localizan en las proximidades de volcanes cuya actividad ofrece mayores posibilidades de estudio o amenazan núcleos importantes de población.

La imagen más popular del volcanólogo recoge su actividad, no exenta de riesgo, durante los paroxismos eruptivos; sin embargo, estos científicos, además de su diaria labor investigadora, tienen otras vías de colaboración con la sociedad en la ordenación del territorio, protección de la naturaleza, búsqueda de recursos naturales y racionalización en el aprovechamiento de estos recursos (por ejemplo, los problemas relativos a la prospección y abastecimiento de agua en numerosas regiones volcánicas), defensa de la población residente y turística, control de contaminación específica en aire, agua y suelo, etc.

El tema del turismo no es ajeno a las regiones volcánicas de singular belleza, tal es el caso del Parque Nacional de los Volcanes de Hawaii, que recibe más de un millón de visitantes anuales, por lo que su protección con la señalización de itinerarios y zonas peligrosas corresponde al observatorio volcanológico allí instalado.

El medio ambiente que supone un área volcánica activa no puede considerarse hostil apriorísticamente. Por el contrario, en estas regiones se asentaron con preferencia grandes núcleos de población prehistórica, atraídos por la fertilidad de los suelos de origen volcánico y por la operabilidad de sus rocas como materiales de construcción, aperos de labranza o instrumentos de guerra y caza. También, quizá, por un sentimiento atávico hacia el fuego y los poderes sobrenaturales que las antiguas mitologías relacionan, frecuentemente, con los volcanes.

Sin embargo, para el profano, los volcanes son sinónimos de destrucción. Es, por tanto, necesario en cualquier región volcánica dedicar un esfuerzo a la educación ciudadana en esta temática. La difusión a nivel popular de las características y significado de su territorio es fundamental para los habitantes de una región volcánica, que suelen ser muy receptivos a todo lo relacionado con el hábitat que, por otra parte, ha influido notoriamente en su peculiar personalidad y psicología.

Digamos, finalmente, que la región volcánica más interesante del mundo quizá sea el archipiélago canario; no en vano puede decirse que aquí nació la moderna ciencia de los volcanes. Estas islas han sido siempre objeto de atención por los científicos, que encuentran en cada rincón de su paisaje una lección de Volcanología y recientemente un campo privilegiado para la investigación geotérmica.

Volcanically active areas are perfectly delimited and the type of volcanism to be found in each is well known. Logically, the best equipped centres of volcanological studies and observatories are to be found in the proximity of those volcanoes which offer greater possibilities for study, or which threaten important nuclei of population.

Volcanologists are looked upon as leading an active life not exempt from danger, particularly during investigations of the eruptive paroxysms. However, these scientists, apart from their daily tasks as regards research, have other ways of collaborating with society, such as land-survey, protection of nature, research for natural resources and rationalization in the use of these resources (for example, the problems concerned with the prospection and supply of water in many volcanic regions), the defence of the resident and tourist population and control of specific contamination in air, water, land, etc.

The subject of tourism is not foreign to volcanic regions of singular beauty such as the National Park of the Hawaiian volcanoes, with more than a million visitors per year, where the protection and the singposting of itineraries and danger-zones are the responsibility of the volcanological observatory situated there.

A volcanically active area should not necessarily be considered a hostile background. On the contrary, these regions were very often preferred in prehistoric times for the emplacement of settlements, whose inhabitants were perhaps attracted by the fertility of the lands of volcanic origin and by the very rocks, readily convertible into building materials, farming tools, instruments of warfare, or hunting artefacts. Perhaps there also existed an atavistic sentiment towards fire and supernatural powers, which mythology frequently associates with volcanoes.

However, for the layman, volcanoes are equivalent to destruction. It is necessary, therefore, in any volcanic region to dedicate an effort to re-educating the people on this point. This cultural promotion of volcanoes is, of course, generally applicable to other regions with no present eruptive phenomena. It seems evident that it is the most cultured peoples who most value their countryside and it is worth noting that the only museum in the world devoted to volcanism is the «Maison des Volcans», installed in an old Castle in Aurillac, a city surrounded by the typical volcanic panorama of the Central Massif of France. We believe that a moderm museun of this nature would be of the greatest importance to the Canaries. The diffusion, at a popular level, of the characteristics and significance of their territory is fundamental to the inhabitants of a volcanic region who tend to be receptive to everything related to their habitat which, on the other hand, has notoriously influenced their personality and psychology.

Suffice it to say, finally, that the Canary Archipelago is perhaps the most interesting of the world's volcanic regions. Not in vain can we say that here the modern science of volcanology was born. These islands have always been the subject of attention of scientists who find, in every corner of the country, a lesson in Volcanology and recently, a priveleged field for the investigation of geothermics.

Areas volcánicas activas

Se denominan *áreas volcánicas activas* a aquellas en las que el hombre ha podido presenciar una erupción. Es decir, zonas con un volcanismo tan reciente que hace suponer la persistencia de una actividad magmática latente, capaz de provocar una erupción en nuestros días.

De acuerdo con la moderna teoría de la *tectónica de placas,* las áreas volcánicas activas predominan en los bordes de las placas litosféricas, cuyo movimiento relativo (distensión, compresión o deslizamiento) condiciona tanto la actividad magmática como la tectónica. Esta actividad, que supone un gran desprendimiento de energía, se manifiesta en los volcanes y en los terremotos, a la vez que en otros parámetros físicos, como el elevado flujo térmico.

En esencia, la teoría de la tectónica de placas, que tiene su precedente en la deriva continental de Wegener, propone un modelo cinemático según el cual la litosfera (capa externa de la Tierra) está compuesta por un número relativamente reducido de placas que están en continuo movimiento unas con respecto a otras, y en sus límites se localiza la mayor parte de la actividad tectónica y magmática (seísmos y volcanes) existentes en el planeta.

La importancia de esta nueva teoría estriba en que, gracias a ella, los geólogos cuentan por primera vez con un esquema global, en el que pueden integrarse y ser explicados los diferentes hechos geológicos que fragmentariamente habían sido establecidos y a partir del cual son posibles algunas determinaciones cuantitativas y algunas predicciones.

En la figura se esquematizan las principales placas litosféricas «rígidas» y sus movimientos relativos al desplazarse sobre una capa interna (astenosfera) que se comporta como un material plástico. Asimismo se han señalado con trazos rojos las principales áreas volcánicas activas del planeta, entre las que destacan el Cinturón del Fuego que bordea el océano Pacífico, la Dorsal Atlántica con erupciones generalmente submarinas, las regiones continentales correspondientes a los rifts africanos y los archipiélagos oceánicos como Hawaii y Canarias.

En este esquema, las islas Canarias presentan una posición geodinámica singular que comparten las islas de Madeira y Cabo Verde, ya que no se encuentran próximas a ningún borde de placa, pero sí sobre una zona de tránsito entre corteza oceánica y corteza continental.

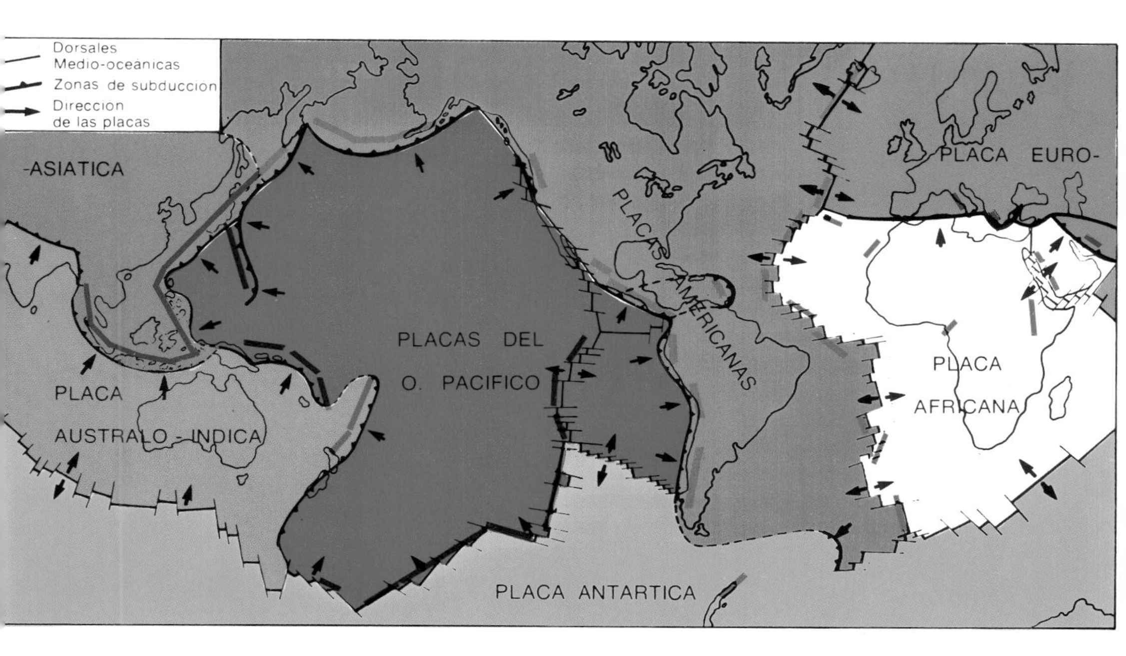

Active volcanic zones

Volcanically active zones are those in which mankind has witnessed an eruption, i. e. zones where volcanism is sufficiently recent to lead us to suspect the persistance of latent magmatic activity, capable of bringing about an eruption in our lifetime.

According to the modern theory of Plate Tectonics, volcanically active zones predominate on the margins of the litospheric plates, the relative movement of which (distension, compression or sliding) conditions magmatic and tectonic activity. This activity, which entails a tremendous outburst of energy, is manifested in volcanoes and earthquakes, as it is on other physical parameters such as high thermal flow.

The main litospheric, «rigid» plates and their relative movements as they slide over an internal layer (astenosphere), which behaves like a plastic material, are diagrammed in the figure. The volcanically active areas of the earth, among which predominates the Belt of Fire which borders the Pacific Ocean, the mid-Atlantic Ridge, generally submarine eruptions, the continental regions corresponding to the African rifts and the oceanic archipelago such as Hawaii and the Canaries are also indicated with red lines.

In this diagram, the Canary Islands present a singular geodynamic position, shared with the islands of Madeira and Cape Verde, far from any plate margins but upon a zone of transit between oceanic and continental crust.

El magma

Los productos arrojados por los volcanes proceden del magma, que es un término vagamente definido si tenemos en cuenta su gran complejidad. Los magmas se generan por fusión total o parcial de rocas profundas (de la corteza inferior o del manto superior —entre 30 y 600 km como máximo—), a favor de unas condiciones termodinámicas poco conocidas todavía. En el entorno físico del magma, o *cámara magmática,* coexisten las mezclas líquidas y gaseosas con una fracción sólida formada por las partes más refractarias del material inicial y por los agregados de minerales que ya han cristalizado del primer fundido.

En la generación de magmas incide una situación geodinámica específica para distintas zonas del planeta y que viene determinada por la energía interna de la Tierra. Este mismo proceso provoca la apertura de grietas profundas por las que asciende el magma hasta la superficie, aunque las diferencias de presión y la menor densidad de los propios componentes magmáticos facilitan su ascenso*, bien a favor de largas fracturas *(erupciones fisurales)* o de conductos más localizados *(erupciones centrales).*

---

* El proceso de fusión de cualquier roca se verifica con aumento de volumen y, por tanto, todo magma es menos denso que la roca de la cual proviene, lo que implica su tendencia a la subida. La separación de la fase volátil (debida a que la solubilidad de un gas en un líquido es función de la presión) no hace más que añadirse a esta tendencia general.

* Hundimiento del frente de una placa oceánica (más densa) bajo otra placa continental (más ligera).

Magma

The materials ejected by volcanoes come forth from the magma, which is a vaguely defined term if we take into account its great complexity. Magma is generated by total or partial fusion of deep-lying rocks, favoured by thermodynamic conditions, about which very little is still known. In the physical surroundings of the magma, or magma chamber, liquid and gaseous mixtures coexist with a solid fraction formed by the more refractary parts of the original material and by the mineral aggregates already crystallized from the first melting.

A specific geodynamic situation for different zones of the planet determined by the internal energy of the Earth, brings about the generation of magma. This same process provokes the opening of deep fractures through which the magma ascends to the surface, either by way of long fractures (fissure eruptions) or of more localized vents (central eruptions).

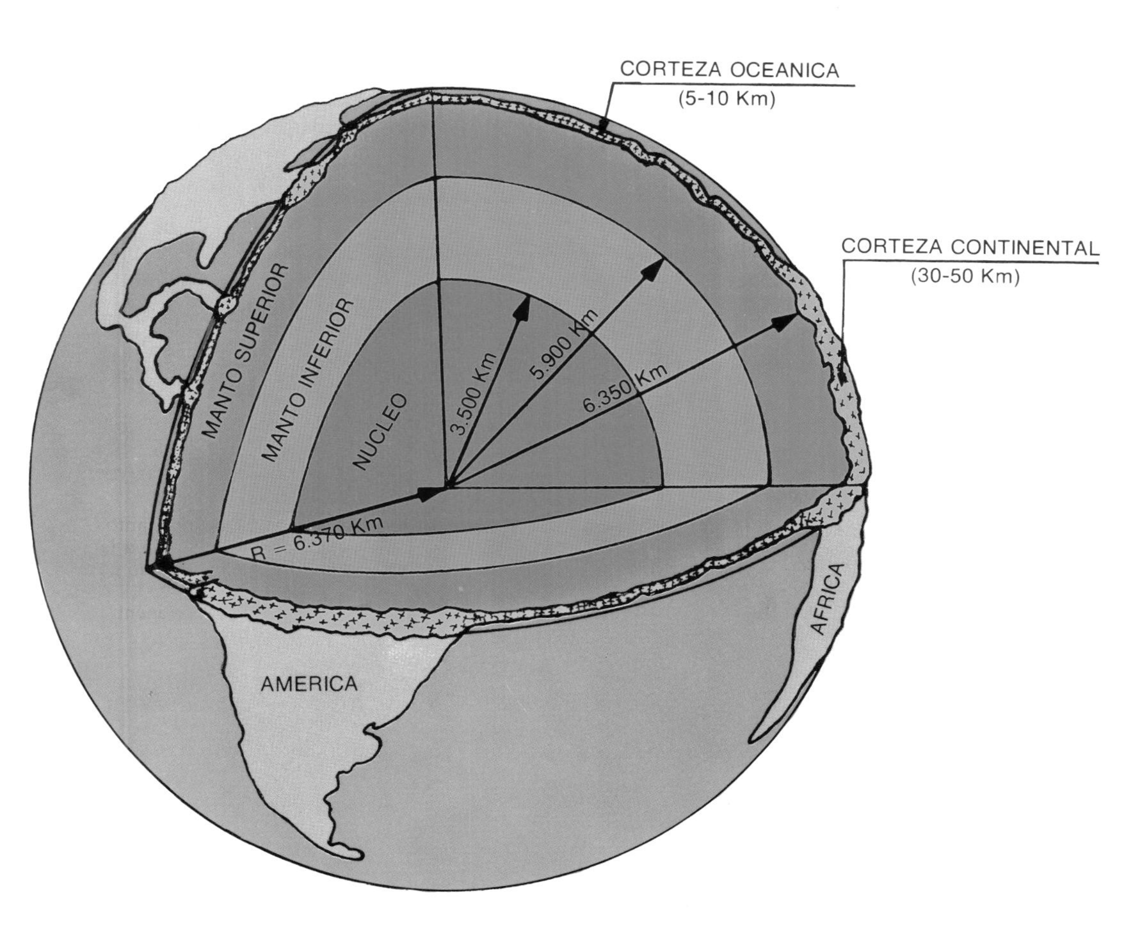
CORTEZA OCEANICA
(5-10 Km)
CORTEZA CONTINENTAL
(30-50 Km)
MANTO SUPERIOR
MANTO INFERIOR
NUCLEO
3.500 Km
5.900 Km
6.350 Km
R = 6.370 Km
AMERICA
AFRICA

Para que comiencen a fundirse las rocas del manto es preciso que se den las condiciones idóneas de temperatura y presión a una profundidad determinada. En el gráfico inferior, el esquema A corresponde a una zona estable bajo la que las condiciones de P y T se encuentran en equilibrio y no se generan magmas.

Estas condiciones de equilibrio se modifican al intervenir procesos geodinámicos. Así en B se ha deformado la litosfera al elevarse unos bloques de las mismas; solidariamente asciende el material más profundo y las isotermas —líneas rojas— se acercan a la superficie, es decir, el material del manto conserva su temperatura (T_3), pero a presión más baja y comenzará a fundirse.

Similar elevación de las isotermas (T_1, T_2, T_3, etc.) la provoca un ascenso de la astenosfera con la consiguiente distensión y separación cortical (caso C) o bien la subducción* de una placa litosférica en un ambiente de compresión (caso D).

Temperature and pressure conditions must be ideal, at a given depth, for the rocks of the mantle to begin melting. In the drawing A, a stable zone underneath which pressure and temperature conditions are balanced and magma is not formed.

These balanced conditions are modified by geodynamic processes. So, in B, *the litosphere has been deformed by the uplifting of some of the blocks which form it; the deepest material ascends and the isotherms —red lines— come closer to the surface, i. e. the material of the mantle preserves its temperature (T_3), but at a lesser pressure, and will begin to melt.*

A similar elevation of the isotherms (T_1, T_2, T_3, etc.) is produced by an ascent of the asthenosphere, with the resulting distension and crust separation (case C) or, perhaps, the consumption of a litospheric plate in a compression zone (case D*).*

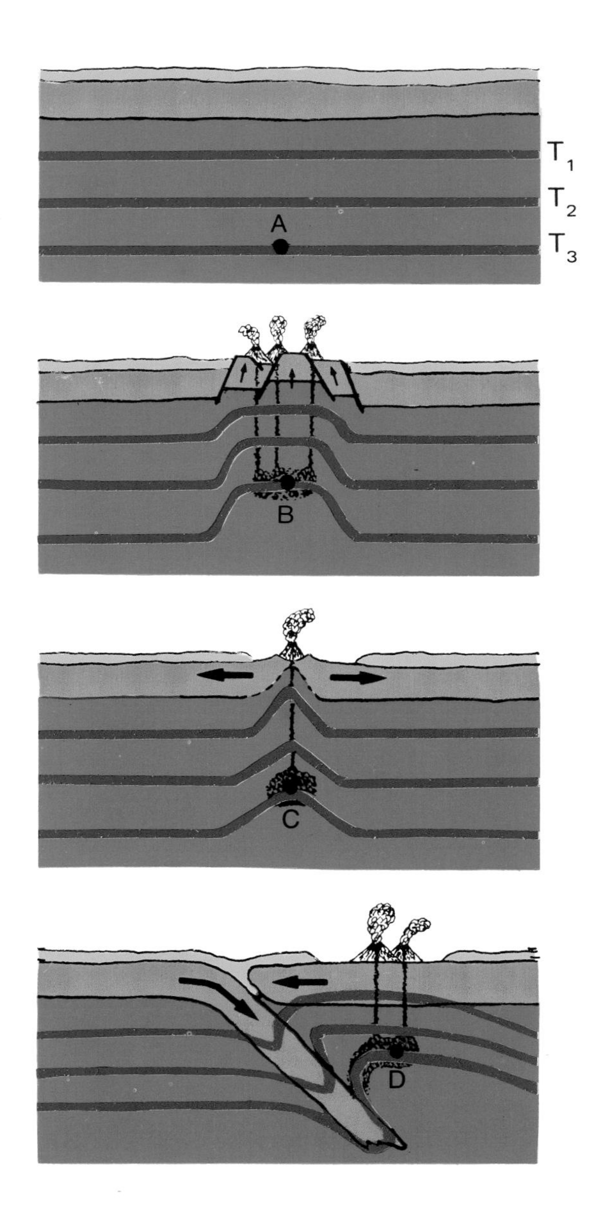

T1
T2
T3
A
B
C
D

El material volcánico que alcanza la superficie no tiene la misma composición que el magma original, ya que éste experimenta una serie de transformaciones durante su ascenso que puede demorarse mucho tiempo, lo que permite su enfriamiento paulatino. Al disminuir su temperatura, parte del magma vuelve a cristalizar, quedando una fracción líquida, empobrecida en determinados elementos químicos (los que componen los cristales o minerales formados al irse enfriando el magma), que es la que finalmente alcanzará la superficie. Esta es la razón de que en una misma región encontremos materiales volcánicos de aspecto y composición muy diferentes, pues, pese a tener el mismo origen, reflejan distintas etapas de la evolución o *diferenciación* magmática.

Un esquema de este proceso de diferenciación magmática sería el gráfico adjunto, en el que se ha intentado representar la evolución de un magma desde su composición inicial basáltica hasta su estado final sálico.

The volcanic material which reaches the surface does not have the same composition as the original magma, since it experiences a series of transformations during the ascent, which may take a long time, thus allowing it to cool gradually. As the temperature drops, part of the magma begins to crystallize again, leaving a liquid fraction, poorer in some chemical elements (those which form the crystals or minerals as the magma cools) and this is what eventually reaches the surface. This is the reason why, in any one zone, we find volcanic materials of very different aspects and compositions, because in spite of having the same origin, they reflect different stages of magmatic evolution or differentiation (see diagram).

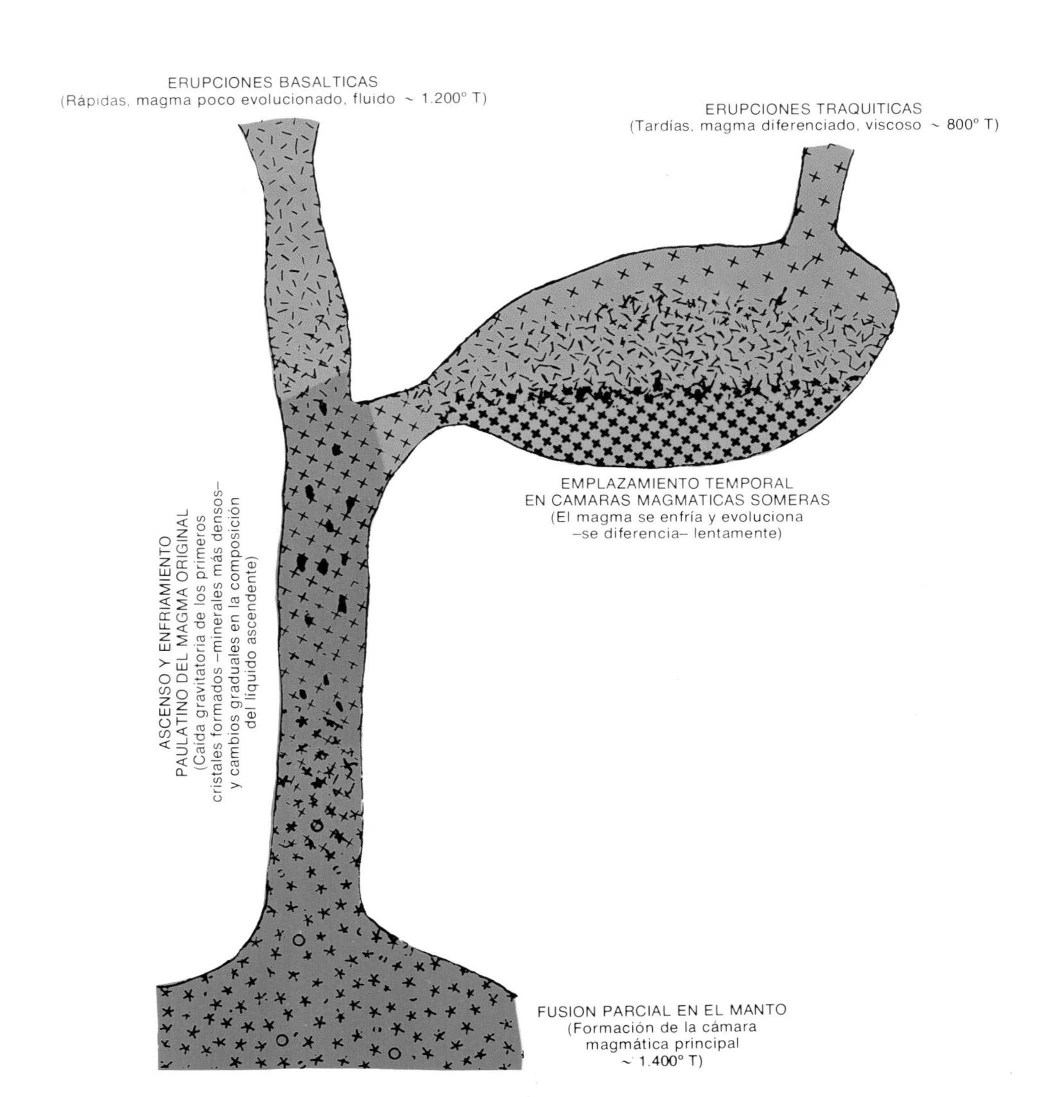
ERUPCIONES BASALTICAS
(Rápidas, magma poco evolucionado, fluido ~ 1.200° T)
ERUPCIONES TRAQUITICAS
(Tardías, magma diferenciado, viscoso ~ 800° T)
EMPLAZAMIENTO TEMPORAL
EN CAMARAS MAGMATICAS SOMERAS
(El magma se enfría y evoluciona
–se diferencia– lentamente)
ASCENSO Y ENFRIAMIENTO
PAULATINO DEL MAGMA ORIGINAL
(Caída gravitatoria de los primeros
cristales formados –minerales más densos–
y cambios graduales en la composición
del líquido ascendente)
FUSION PARCIAL EN EL MANTO
(Formación de la cámara
magmática principal
~ 1.400° T)

Independientemente de su composición, el magma que llega a la superficie tiene una parte gaseosa que escapa a la atmósfera; el resto constituye los productos que analizaremos en la primera parte del libro, junto con las principales formas, estructuras y edificios volcánicos que en síntesis se representan en la siguiente página.

La violenta salida del magma a la superficie es lo que constituye la erupción volcánica, que se prolonga mientras persistan las condiciones que favorecen la generación y ascenso de magma. Este ascenso, a favor de conductos relativamente angostos, desencadena temblores de tierra en los alrededores de la boca eruptiva. Tales seísmos, y las ruidosas explosiones provocadas por la rápida desgasificación en la parte alta del conducto, son los fenómenos más aparatosos que acompañan a la emisión de materiales incandescentes que se derrama en corrientes lávicas.

La fotografía corresponde a una fase explosiva del volcán Teneguía, que entró en erupción el año 1971 en la isla de La Palma.

Irrespective of its composition, the magma which reaches the surface has a gaseous part which escapes into the atmosphere; the rest is composed of the lava products which will be analized in the first part of the book, together with the main volcanic forms, structures and volcanic edifices, as shows the adjoining diagram.

The violent ejection of magma at the surface constitutes a volcanic eruption, which lasts while the conditions which bring about the formation and ascent of magma persist. This ascent, by means of relatively narrow vents, causes tremors around the eruptive opening. Such seisms and the noisy explosions caused by rapid de-gasification in the higher part of the vent are the most spectacular phenomena which accompany the emission of the incandescent material which spreads out in the form of lava-flows. In the photograph, the Teneguia volcano, La Palma, 1971.

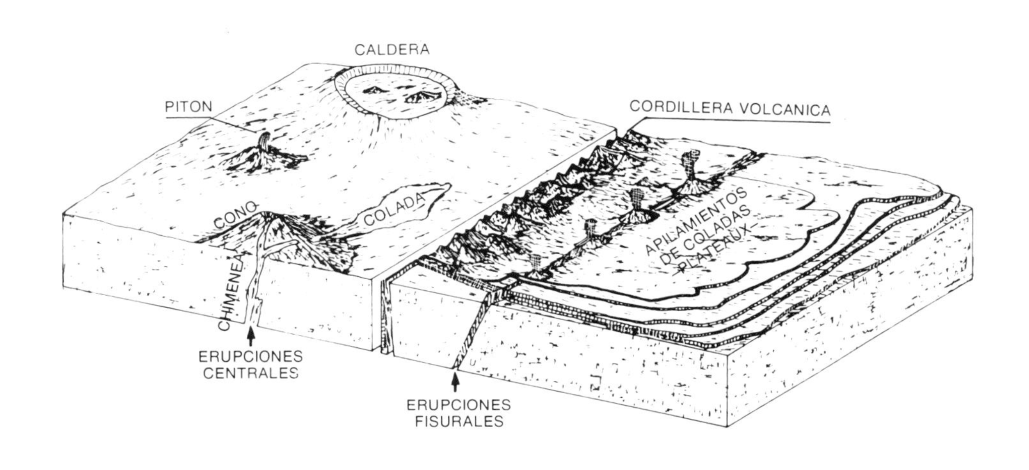
CALDERA
PITON
CORDILLERA VOLCANICA
CONO
COLADA
APILAMIENTOS DE COLADAS PLATEAUX
CHIMENEA
ERUPCIONES CENTRALES
ERUPCIONES FISURALES

Tipos de magma y serie de rocas ígneas

Aunque no es nuestro objeto profundizar en la temática petrológica, conviene esbozar algunos conceptos sobre las rocas a las que tendremos que referirnos más adelante y sobre su origen.

Se conocen tres «magmas tipo» principales que dan lugar a las series de rocas *toleíticas, calcoalcalinas* y *alcalinas,* de diferente composición química y mineralógica. La serie toleítica predomina en las áreas distensivas de la corteza terrestre y más concretamente en las dorsales oceánicas, donde se separa la litosfera y se genera el material basáltico que constituye los fondos submarinos. Las series calcoalcalinas caracterizan zonas de compresión en las que la corteza oceánica se sumerge y consume bajo los continentes, como ocurre en todo el perímetro o Cinturón de Fuego del Pacífico. Por último, la serie alcalina está asociada a la actividad magmática más profunda y es abundante en regiones estables.

En el dibujo siguiente se ha esquematizado la relación existente entre la generación de los distintos tipos de magma y el emplazamiento geodinámico de cada región volcánica.

La zona 1 correspondería a las islas Canarias, cuya discutida génesis analizaremos más adelante. La zona 2 representa la cordillera dorsal mesoatlántica, con su *rift* o depresión central; casi todo este accidente lineal es submarino, aunque algunos de sus picos más altos sobresalen por encima del nivel del mar formando islas como Islandia, cuyo volcanismo es típicamente toleítico. La zona 3 responde a la situación de numerosas islas oceánicas, entre las que destaca el archipiélago de las Hawaii, con sus típicos volcanes en «escudo», de poquísima pendiente, que se elevan hasta 8.000 metros sobre los fondos oceánicos; su magmatismo es toleítico y alcalino a la vez. La zona 4 podría representar el archipiélago japonés y a tantos *«arcos insulares»* que marginan las costas asiáticas del océano Pacífico; su volcanismo, muy explosivo, es calcoalcalino y se relaciona con la subducción de una placa oceánica bajo otra continental, por lo que es muy similar al que encontramos en la zona 5, que puede representar el volcanismo presente en la cordillera de los Andes y sureste de España. Finalmente, la zona 6 representa el volcanismo alcalino en áreas continentales estables, alejadas de los bordes de placa; a este último caso corresponden los volcanes de Campos de Calatrava (Ciudad Real) y probablemente los de Olot (Gerona).

Types of magma and series of igneous rocks

There are three main magma types which yield the tholeiitic, calc-alkaline and alkaline series, of different chemical and mineralogic composition. The tholeiitic series predominates in the distensive areas of the earth's crust and more concretely in the oceanic ridges, where the litosphere is separated and the basalt material which constitutes the oceanic crust is created. The calc-alkaline series are characteristic of zones in which the oceanic crust is submerged and consumed under the continents, as occurs in the Fire Belt of the Pacific. Lastly, the alkaline series is associated with the deepest magmatic activity and is abundant in stable regions.

The relationship between the creation of the different types of magma and the geodynamic emplacement of each volcanic region has been outlined in the adjoining diagram. Zone 1 corresponds to the Canary Islands, of which the much-discussed origin will be considered later on. Zone 2 represents the mid-Atlantic ridge with its rift or central depression. Their volcanism is typically tholeiitic. Zone 3 reflects the situation of numerous oceanic islands among which the archipelago of Hawaii is outstanding, its magmatism is both tholeiitic and alkaline. Zone 4 represents the Japanese archipelago and many other island arcs bordering the Asiatic coasts of the Pacific Ocean; their very explosive volcanism is calc-alkaline and is related to the subduction of an oceanic plate underneath a continental one. For this reason it closely resembles zone 5 which portrays the volcanism present in the Andes Range. Lastly, zone 6 gives the alkalic volcanism in stable continental areas, far from the margins of the plates.

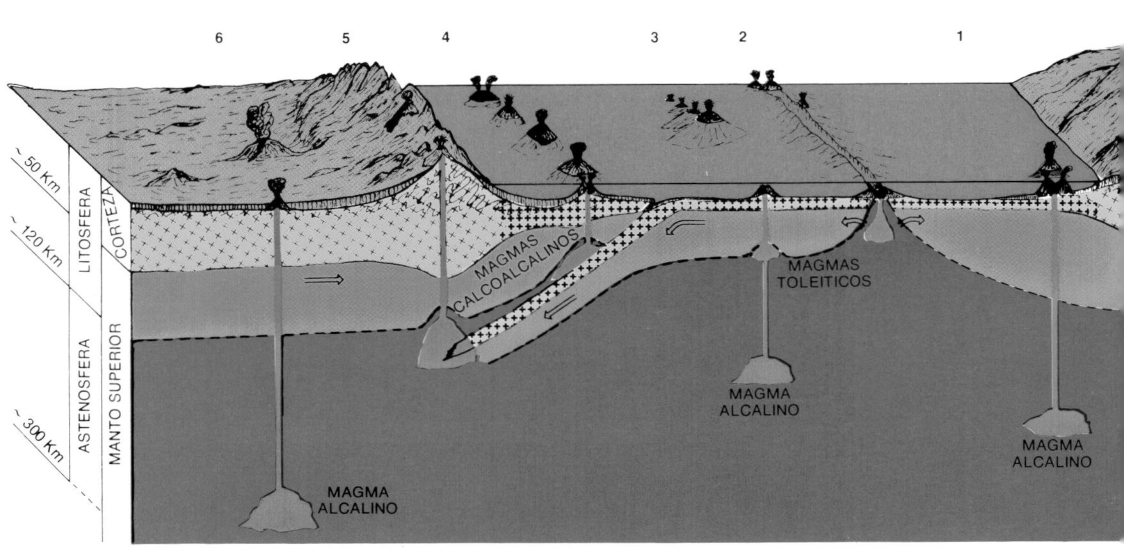

Génesis del archipiélago canario

Las islas Canarias constituyen la parte emergida de una importante formación volcánica emplazada en el límite oceánico-continental de la placa afro-atlántica. Su génesis debe asociarse a una fase de la dinámica alpina, que tuvo su máxima actividad en esta zona durante el Mioceno, hace unos veinte millones de años. Descartando, por supuesto, varias hipótesis sobre el origen de Canarias, que son científicamente inviables —como las que relacionan el archipiélago con la legendaria Atlántida—, quedan otras, más o menos elaboradas, de las que sólo citaremos tres.

Una reciente teoría asocia los ciclos eruptivos canarios a las principales fases dinámicas del vecino Atlas, una de cuyas principales fracturas, que se prolonga hasta el archipiélago, se reactivaría periódicamente facilitando la salida de los magmas en sucesivos impulsos de compresión y distensión, como señala el esquema (de Anguita y Hernán) sobre la «fractura propagante».

Origin of the Canary Archipelago

The Canary Islands are the emerged part of an important volcanic formation on the oceanic-continental transit of the Afro-Atlantic plate. Its origin must be related to a phase in Alpine orogeny, which reached its maximum activity in this zone during the Miocene, 20 million years ago. Having rejected several hypotheses on the origin of the Canaries, which are scientifically unfeasible, such as those which relate the Archipelago to legendary Atlantis, there remain others, more or less elaborated of which only three will be discussed here.

A recent theory associates the eruptive Canary cycles with the main dynamic phases of nearby Atlas one of whose main fractures, reaching the Archipelago, would become periodically active, facilitating the out-pouring of magma in succesive impulses of compression and distension as indicated in the diagram of Anguita and Hernan.

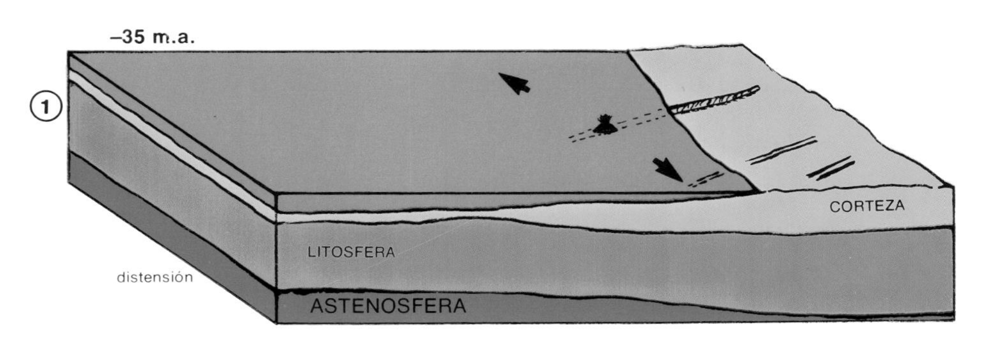

–35 m.a.
1
CORTEZA
LITOSFERA
distensión
ASTENOSFERA

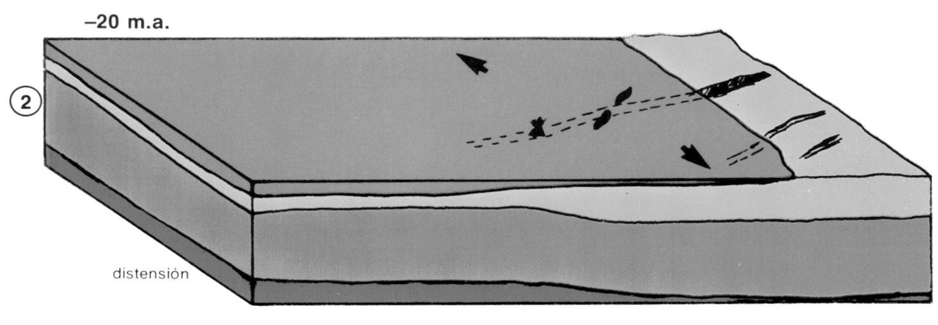

–20 m.a.
2
distensión

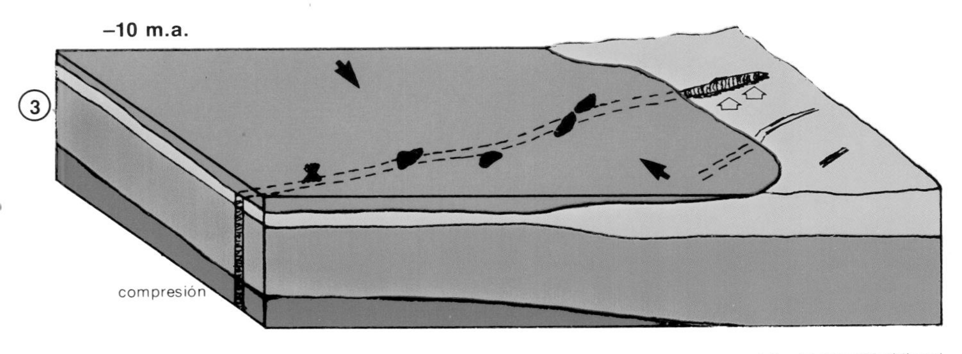

–10 m.a.
3
compresión

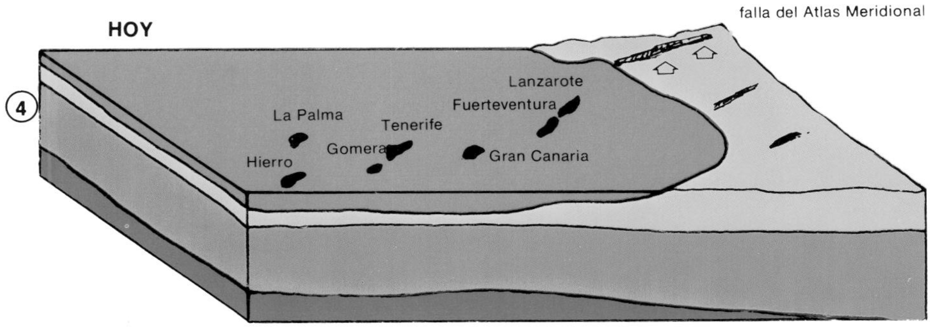

falla del Atlas Meridional
HOY
4
Lanzarote
Fuerteventura
La Palma
Tenerife
Gomera
Hierro
Gran Canaria

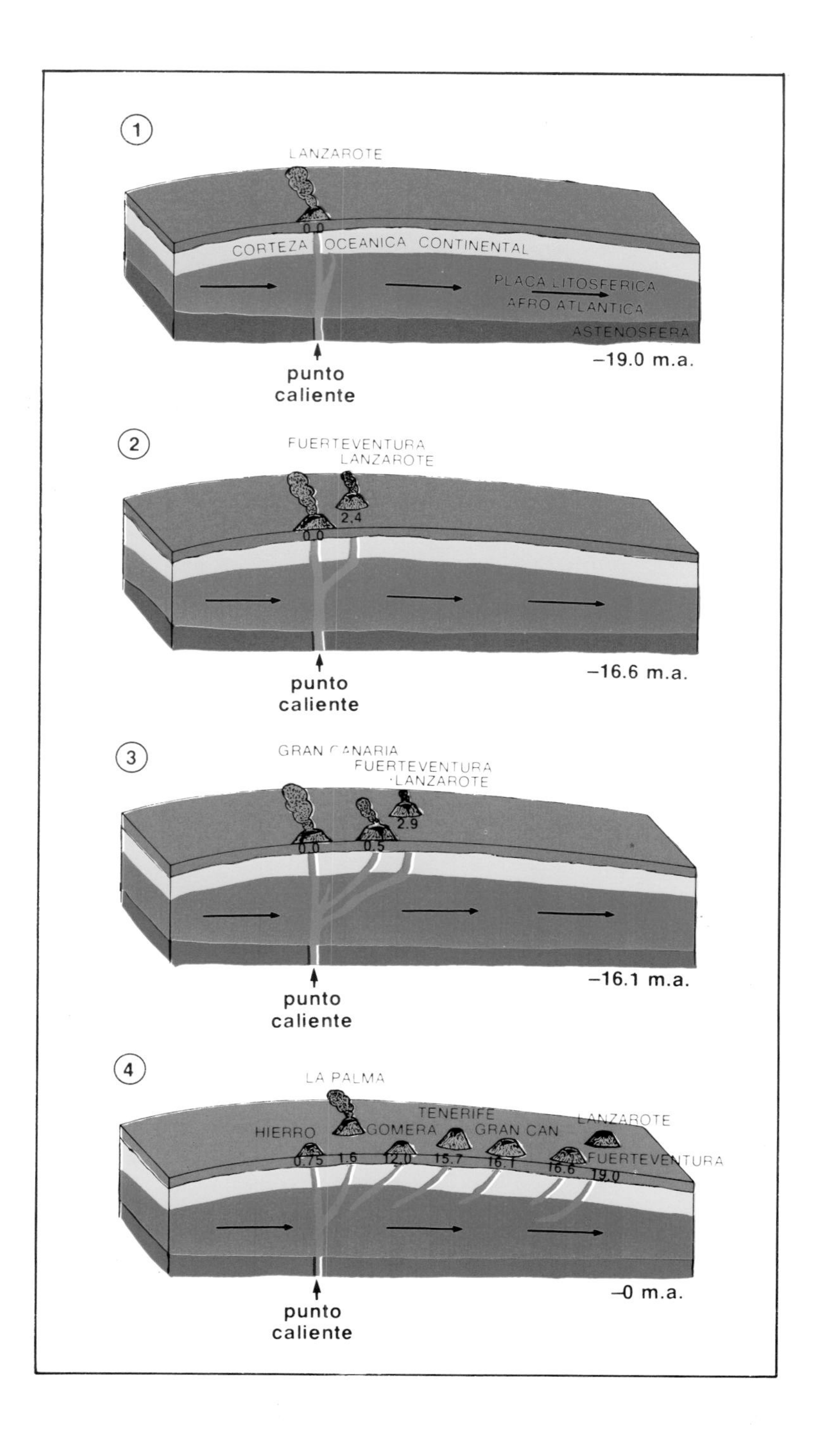
1
LANZAROTE
0.0
CORTEZA OCEANICA CONTINENTAL
PLACA LITOSFERICA
AFRO ATLANTICA
ASTENOSFERA
–19.0 m.a.
punto
caliente
2
FUERTEVENTURA
LANZAROTE
2.4
0.0
–16.6 m.a.
punto
caliente
3
GRAN CANARIA
FUERTEVENTURA
LANZAROTE
2.9
0.0
0.5
–16.1 m.a.
punto
caliente
4
LA PALMA
TENERIFE
HIERRO
GOMERA
GRAN CAN
LANZAROTE
FUERTEVENTURA
0.75
1.6
12.0
15.7
16.1
16.6
19.0
–0 m.a.
punto
caliente

Según otra hipótesis, existiría un foco magmático fijo en el manto, sobre el que se desplazó en sentido WE la capa litosférica de esta zona. Así, las islas volcánicas sucesivamente formadas sobre dicho «punto caliente» se alinean en la dirección seguida por la placa. Efectivamente, parece que las primeras islas formadas fueron las orientales, siendo el Hierro la más occidental y más reciente, al menos en lo que respecta a su parte emergida. Sin embargo, el volcanismo contemporáneo en los extremos del archipiélago —La Palma y Lanzarote— resta credibilidad a esta teoría, que parece válida para las Hawaii, pero no para Canarias.

La hipótesis que parece más aceptable (esquema inferior) supone como núcleos insulares a unos bloques levantados del fondo oceánico. Este levantamiento sería la respuesta, en una zona cortical débil (corteza de transición oceánica-continental), al giro o detención del continente africano, sin que se interrumpiese la distensión mesoatlántica. La misma dinámica de estos levantamientos —todavía activa, aunque atenuada— provoca una descompresión que facilita la generación de magmas bajo cada una de las islas. Obsérvese que los bloques se elevan preferentemente como cuñas a favor de fallas inversas, lo que equivale a un acortamiento de la corteza en esta zona.

Some authors relate Canary volcanism with the «hot spot» theory. According to this hypothesis (diagram), there would exist a magmatic focal-point fixed in the mantle, above which the oceanic crust moves in a W-E direction. The displacement of the thin litospheric plate causes the successive volcanic islands formed above the «hot spot» to be aligned as at the present day, according to the direction followed by the plate in its movement.

Another hypothesis (lower drawing) considers some blocks lifted from the ocean bed to be the insular nuclei. This uplifting would be the response in the weak zone of transit from continental to oceanic crust to the African continent turning or slowing down in the continous W-E movement of the Atlantic Plate.

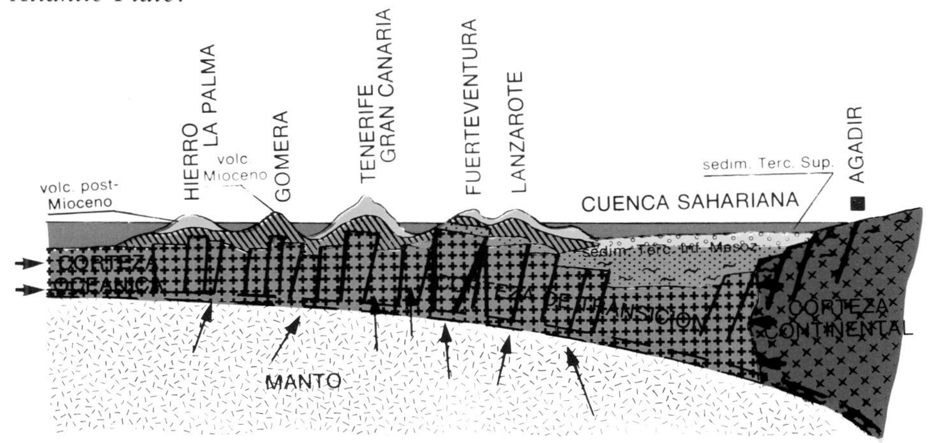

Evolución del volcanismo en Tenerife

Digamos previamente que el volcanismo canario pertenece a la serie alcalina y entre sus materiales predominan los *basaltos* de esta composición, pero también se ha emitido toda una gama de rocas que derivan del magma basáltico original. Esta evolución culmina en productos tales como *traquitas* y *fonolitas,* particularmente abundantes en las islas centrales: Tenerife y Gran Canaria.

Cualquier profano intuye esta diversidad de materiales, que se refleja en el variado colorido, densidad y dureza de las rocas que van desde los términos más oscuros y densos (basálticos) a los más claros y ligeros (traquíticos).

En los basaltos pueden distinguirse minerales coloreados como el olivino y los piroxenos, mientras que en las traquitas abundan los minerales incoloros como los feldespatos, aunque en ambos casos la oxidación y alteración enrojece o blanquea, respectivamente, los citados cristales.

Entre las traquitas y fonolitas canarias apenas hay diferencias geoquímicas, distinguiéndose las últimas por la presencia de ciertos minerales subsaturados, denominados feldespatoides. Las rocas de composición intermedia (entre basaltos y traquitas) son abundantísimas y variadas, por lo que es útil agruparlas bajo la denominación genérica de *traquibasaltos*.

Digamos, por último, que la viscosidad es una de las características esenciales de los magmas; así, las erupciones basálticas son más fluidas y sus lavas recorren largas distancias, mientras los gases escapan continuamente del centro de erupción; por el contrario, los magmas más evolucionados —traquíticos— son más viscosos y sus lavas tienen un escaso recorrido, acumulándose en grandes masas próximas a la boca eruptiva, bajo la que se concentran los gases que, en un momento dado, son expulsados con gran violencia y peligrosidad.

Todos estos aspectos serán tratados con mucho más detalle en el volumen dedicado a Gran Canaria, dada la peculiar variedad litológica de esta isla.

Rocas	*Minerales*	*Composición*	*Aspecto*	*Erupciones*
Basaltos	Olivino Piroxenos Plagioclasas	Básica $SiO_2 \simeq 45\ \%$	Oscuros Pesados	Tranquilas Fluidas
Traquibasaltos				
Traquitas Fonolitas	Anfiboles Feldespatos Feldespatoides	Sálica $SiO_2 \simeq 60\ \%$	Claros Ligeros	Violentas Viscosas

Evolucion of volcanism in Tenerife

The oldest volcanic rocks which outcrop in Tenerife seem to be some 7-8 million years old. Earlier submarine eruptions accumulated, forming the common substratum of the island, which began to emerge above sea level. This substratum is well represented today at the base of the Teno and Anaga peninsulas, in the Northwest and Northeast parts of the island respectively. Present ocutcrops of this early fissural volcanism stage, between 7 and 3 million years appear in drawing A. (See next page.)

Volcanic edifices are characterized by the fact that their centres of emission appear in aligment, following the direction of great fractures; this caused the volcanic products to pile up in the form of a roof whose dividing line still forms the island's ridges or «dorsales». This first eruptive cycle ends with trachytic emissions which today form the light coloured tops of many peaks in Anaga.

Since 3 million years ago, the greater part of volcanic activity has been displaced towards the central zones of the island. This volcanism continues to be fissural, and its composition is, as in the old volcanic edifices, predominantly basaltic. This stage, as in drawing B, ends with the formation of a great central volcanic structure in contrast with the earlier volcanism. The end of this stage coincided with the partial destruction of the great central structure of the island, whose summit, as it subsided, formed one of the most impressive calderas of the world: the Cirque of Las Cañadas.

The final stage (drawing C), covering the last million years, is characterized by a new type of volcanism; on the one hand, the gigantic composite cone of Pico Viejo and Pico Teide is formed in the Caldera of Las Cañadas, while numerous emission centres appear in the rest of the island, their products covering almost all the oldest materials and gaining new terrain from the sea, shaping the present topography in which the majority of these small volcanoes, with their well-preserved cones, still stand out.

Drawing C, also shows those eruptions of which there is historical mention. As indicated in the preliminary note, these drawings are based upon the geological maps of the Island published by the Department of Petrology and Geochemistry of the Spanish Superior Council of Scientific Research (C. S. I. C.).

Las rocas volcánicas más antiguas que hoy afloran en Tenerife parecen tener unos siete millones de años*. Erupciones submarinas anteriores fueron acumulándose en el sustrato de la isla, que comenzó a surgir sobre el nivel del mar en la zona de Teno (vértice noroeste actual) y en la base de Anaga en el noreste. Lo que hoy aflora de esta etapa, comprendida entre los siete y los tres millones de años de antigüedad, se refleja en el esquema A**. Se trata de un *volcanismo fisural* del que sólo quedan los restos de tres *grandes edificios:* Teno, Anaga y Adeje, que tal vez estaban enlazados y que, por supuesto, eran más extensos y elevados de lo que son actualmente. Se caracterizan estos edificios porque sus centros de emisión aparecen alineados siguiendo las directrices de grandes fracturas; esto da lugar a que los productos volcánicos se hayan ido apilando en forma de tejado, cuya divisoria forma todavía la línea de cumbres. Este primer ciclo eruptivo culmina con unas emisiones sálicas (traquíticas) que hoy constituyen la cobertera de muchas crestas de Anaga.

Desde hace tres millones de años la mayor actividad volcánica se ha desplazado hacia las zonas centrales de la isla. Primero parece que se formó una gran *cordillera dorsal* a cuyos lados se acumula localmente una mayor concentración de lavas, a modo de espigones, que dejan entre ellos grandes «valles», como los de La Orotava y Güimar. Este volcanismo continúa siendo fisural y su composición es, como en los edificios antiguos, predominantemente basáltica. Esta etapa, reflejada en el esquema B, culmina con la formación de una gran *cúpula central* que contrasta con los edificios lineares anteriores no sólo por su forma, sino por la composición de sus materiales, entre los que predominan traquitas y fonolitas. El final de esta etapa coincide con la destrucción parcial del gran edificio central de la isla, cuya cima, al hundirse, formó una *caldera* que se cuenta entre las más impresionantes del planeta: el Circo de Las Cañadas. La pared meridional de esta depresión elíptica todavía conserva un escarpe de varios centenares de metros sobre el fondo, cuyo eje mayor alcanza los 17 kilómetros.

La etapa final (esquema C), que abarca el último medio millón de años, se caracteriza por un nuevo tipo de volcanismo; por una parte se forma el gigantesco estratovolcán de Pico Viejo y Pico Teide dentro de la caldera de Las Cañadas, mientras que en el resto de la isla surgen numerosos centros de emisión cuyos productos recubren casi todo lo anterior y ganan nuevo terreno al mar, configurando la topografía actual, en la que destacan la mayoría de estos *pequeños volcanes* con sus conos todavía bien conservados.

La historia volcanológica de Tenerife se completa con la localización de las erupciones de las que se tiene conocimiento histórico. Los guanches, primeros pobladores de la isla, conocieron seguramente otras erupciones, no señaladas como históricas, ya que sólo se consideran como tales aquellas de las que se tiene referencia escrita.

---

* Existe, sin embargo, una datación radiométrica de 15,7 m. a. para unos materiales de Anaga, pero esta edad parece de dudosa fiabilidad.

** Como se indicó en la nota preliminar, estos mapas están basados en la cartografía publicada por el Departamento de Petrología y Geoquímica del C. S. I. C.

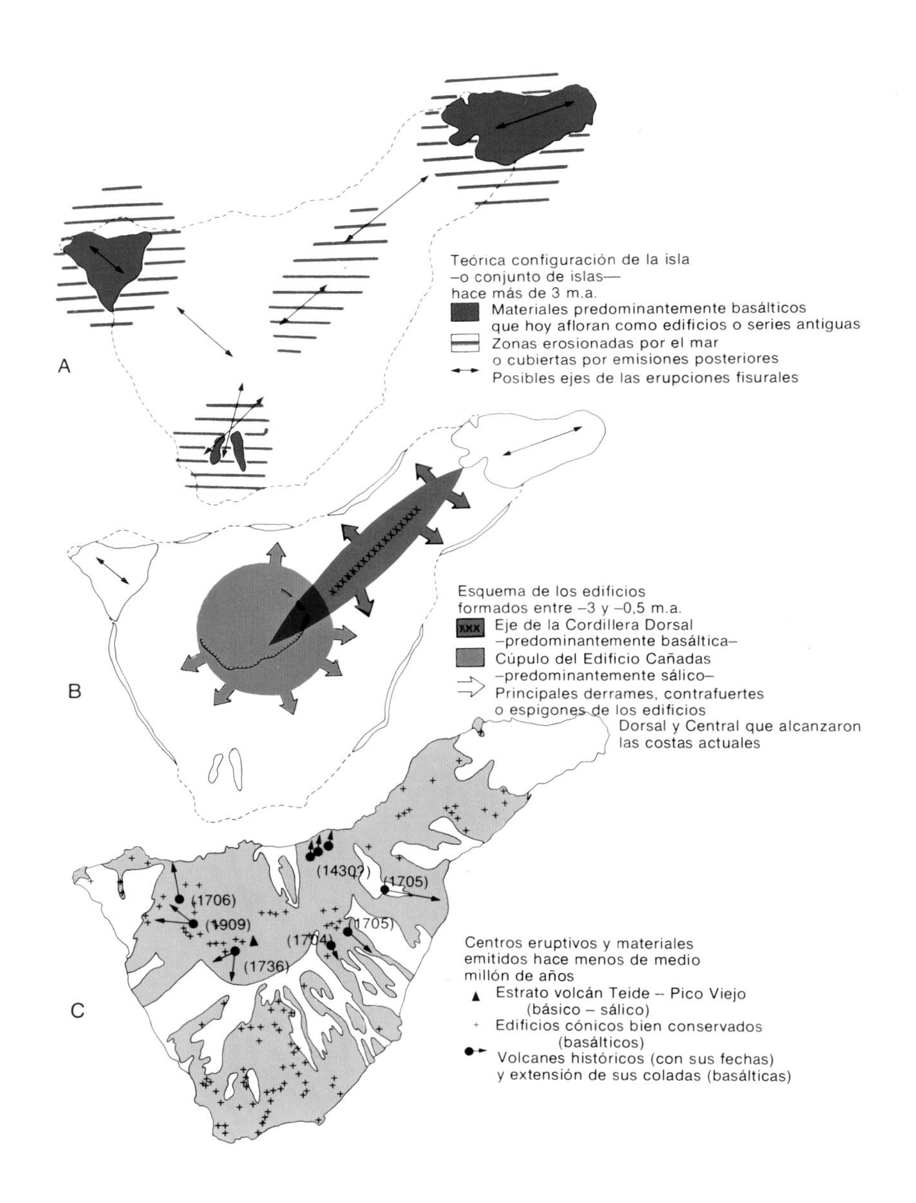
A
Teórica configuración de la isla
–o conjunto de islas—
hace más de 3 m.a.
Materiales predominantemente basálticos
que hoy afloran como edificios o series antiguas
Zonas erosionadas por el mar
o cubiertas por emisiones posteriores
Posibles ejes de las erupciones fisurales
B
Esquema de los edificios
formados entre –3 y –0,5 m.a.
XXX
Eje de la Cordillera Dorsal
–predominantemente basáltica–
Cúpulo del Edificio Cañadas
–predominantemente sálico–
Principales derrames, contrafuertes
o espigones de los edificios
Dorsal y Central que alcanzaron
las costas actuales
C
(1430?)
(1705)
(1706)
(1909)
(1705)
(1704)
(1736)
Centros eruptivos y materiales
emitidos hace menos de medio
millón de años
Estrato volcán Teide – Pico Viejo
(básico – sálico)
Edificios cónicos bien conservados
(basálticos)
Volcanes históricos (con sus fechas)
y extensión de sus coladas (basálticas)

Edad y paleomagnetismo de las rocas de Tenerife

A cada una de las etapas que hemos enunciado corresponde un paisaje característico, sintetizado en la maqueta que reproducimos. En primer término se aprecia la individualidad de un macizo antiguo (Teno) muy erosionado, que contrasta con el edificio central cuya cúpula ha colapsado. En el interior de la caldera surge el Teide-Pico Viejo, que, junto con otros conos bien conservados, representan el último período eruptivo, en el que todavía nos encontramos.

Estas diferencias morfológicas configuran, a grandes rasgos, una cronología relativa entre las principales formaciones volcánicas. Por otra parte, la alternancia en el tiempo de episodios sálicos y básicos, así como la localización preferente de las erupciones en un momento dado, permiten hablar de ciclos volcánicos y establecer diferencias entre unos y otros; sin embargo, en términos geológicos, debemos considerar que el fenómeno eruptivo ha sido continuo desde sus inicios hasta el momento actual.

Esta continuidad eruptiva se ha visto interrumpida en algunas zonas por períodos de inactividad, cuya duración puede tener importancia: por ejemplo, condicionan las características de los acuíferos, como veremos al analizar la hidrogeología de Tenerife. Este hecho confiere un gran interés al adecuado conocimiento de la edad de las rocas.

Age and paleomagnetism of the rocks of Tenerife

Each of the stages enumerated above has a characteristic landscape, as shown in the adjoining figures. In the old Massifs, erosion has carved out numerous, deep ravines (barrancos). Large spurs, running out from the Dorsal Ridge leave valleys between them. Also to be seen are the top of the Cañadas Caldera and the Peak of Teide.

Alternating salic and basic volcanic episodes, as also the preferential localization of the eruptions at a given moment, allow the separating of volcanic cycles. However, in geological terms, it must be considered that the eruptive phenomenon has been continuous from its beginning to present times.

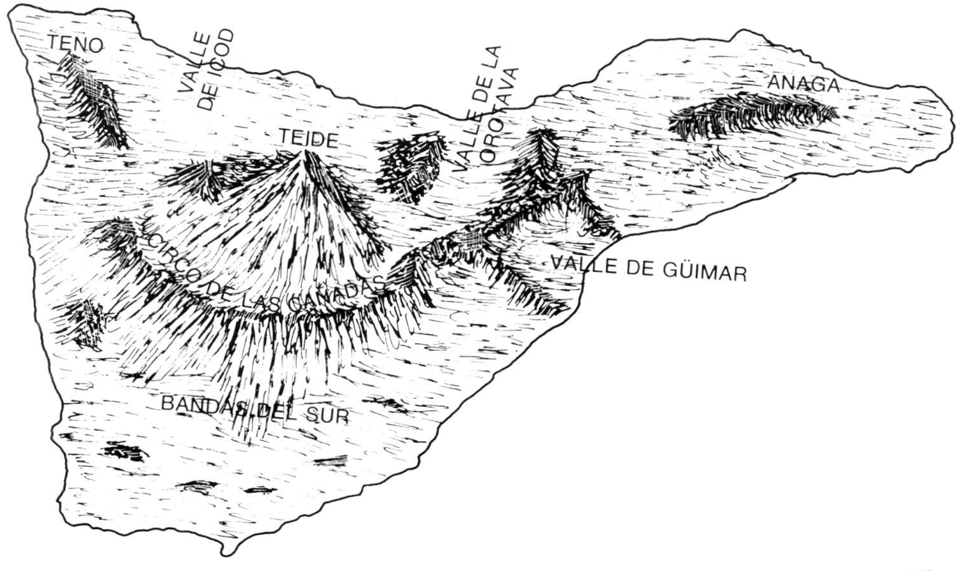

TENO
VALLE DE ICOD
VALLE DE LA OROTAVA
ANAGA
TEIDE
CIRCO DE LAS CAÑADAS
VALLE DE GÜIMAR
BANDAS DEL SUR

Uno de los mayores problemas de la geología de islas volcánicas como Tenerife es el conocer adecuadamente la edad de las diferentes formaciones. No existen, salvo raras excepciones, los medios corrientemente empleados en geología para estos fines, como fósiles, discordancias generales, etc.

Las *edades radiométricas** y la *polaridad geomagnética* registrada en las rocas** son, sin duda, los métodos más valiosos y determinantes para este tipo de dataciones. La combinación de ambos métodos permite la realización de mapas paleomagnéticos como éste de la isla de Tenerife. Con estos mapas se tiene un control cronológico muy exacto de las formaciones y ciclos volcánicos, lo que permite un conocimiento más preciso de su historia eruptiva, que sirve de base para la elaboración de mapas geológicos más completos.

One of the greatest problems of the geology of volcanic islands like Tenerife is gaining adequate knowledge of the age of the different formations. Except for rare exceptions, none of the age controls commonly used in geology exist here, such as fossils, general discordances, etc.

Radiometric ages and the geomagnetic polarity registered in the rocks are, doubtless, the most valuable methods in determining the age of the rocks in this island. Palaeomagnetic maps, such as this one of Tenerife, are obtained by combining both geomagnetic polarity and the radiometric age of the rocks. Maps of this type afford a very exact chronological control of the volcanic formations and cycles, leading to a more precise knowledge of the volcanic history of the island.

---

* Determinados elementos químicos, presentes en los minerales de las rocas, tienen carácter radiactivo y sufren un proceso espontáneo por el que se transforman en el isótopo de un nuevo elemento. La duración de este proceso es bien conocida, por lo que puede conocerse la edad de una roca analizando, mediante técnicas muy precisas, el estado de desintegración en el que se encuentran actualmente tales elementos radiactivos. En el caso concreto de las rocas canarias se utiliza el método K/Ar, siendo 1.300 millones de años el tiempo necesario para que la mitad de los átomos de potasio se transformen en argón.

** Los minerales ferromagnéticos de las rocas volcánicas registran la polaridad del campo magnético terrestre que existía en el momento de la erupción; esto se debe a que cuando las lavas se enfrían bajo el punto de Curie (temperatura a la que tiene lugar la transición de material paramagnético a ferromagnético) adquieren una imanación permanente, que coincide con la dirección del campo magnético terrestre en ese lugar y momento. Por otra parte, el campo magnético terrestre se invierte periódicamente y estas inversiones (cambios de polaridad) están perfectamente datadas para los últimos cinco millones de años. De esta forma, el magnetismo remanente, positivo o negativo, que presentan las rocas permiten adjudicarles una u otra edad de acuerdo con la Escala de Inversiones conocida.

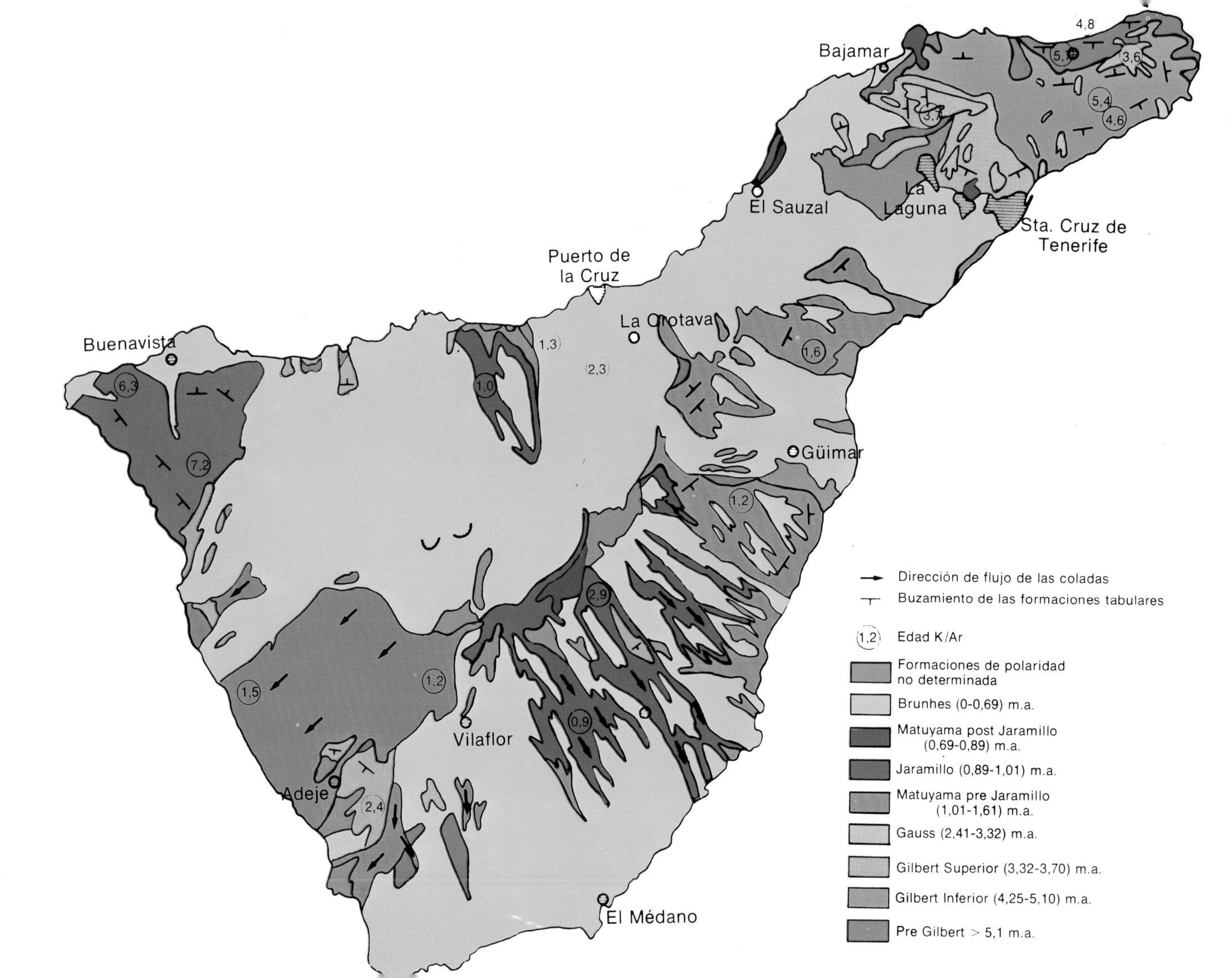
Bajamar
El Sauzal
La Laguna
Sta. Cruz de Tenerife
Puerto de la Cruz
La Orotava
Buenavista
Güimar
Vilaflor
Adeje
El Médano
4,8
5,1
3,6
3,7
5,4
4,6
1,3
2,3
1,0
1,6
6,3
7,2
1,2
2,9
1,5
1,2
0,9
2,4
Dirección de flujo de las coladas
Buzamiento de las formaciones tabulares
Edad K/Ar
Formaciones de polaridad no determinada
Brunhes (0-0,69) m.a.
Matuyama post Jaramillo (0,69-0,89) m.a.
Jaramillo (0,89-1,01) m.a.
Matuyama pre Jaramillo (1,01-1,61) m.a.
Gauss (2,41-3,32) m.a.
Gilbert Superior (3,32-3,70) m.a.
Gilbert Inferior (4,25-5,10) m.a.
Pre Gilbert > 5,1 m.a.

1

MATERIALES Y ESTRUCTURAS VOLCANICAS

Agruparemos los materiales volcánicos en volátiles (gaseosos), piroclásticos (fragmentarios) y masivos (coladas). También nos referiremos al material magmático que no llega a salir a la superficie y queda rellenando los conductos de emisión, donde se enfría formando los diques, chimeneas y pitones que constituyen las raíces de los volcanes, ya que estos materiales rellenan grietas que van desde la cámara magmática hasta la superficie. Veremos también que a veces la lava o los gases arrastran rocas, que el magma, durante su ascenso, arrancó de la corteza e incluso de zonas más profundas; son los enclaves o xenolitos, algunos de los cuales pueden proporcionarnos información sobre las rocas cuya fusión dio origen al magma.

Los *volátiles* son los primeros productos que alcanzan la superficie, y de hecho predominan en todas las etapas de la erupción, condicionando su mayor o menor explosividad. Una vez concluida la fase eruptiva continúa la emanación gaseosa, mientras el magma se enfría en profundidad; las variaciones en el volumen o quimismo de estos gases pueden indicarnos la inminencia de nuevas erupciones.

VOLCANIC MATERIALS AND STRUCTURES

Volcanic materials will be classified as gases, fragmentary or pyroclastic and lava flows. The magmatic materials which never reach the surface cool in the vents, forming dikes and plugs, which make up the roots of volcanoes. Sometimes, the lava or gases drag rocks which the ascending magma broke of from the crust, or even from deeper down; these are the xenoliths, some off which may provide valuable information about the rocks of the mantle which, upon melting, generated the magma.

The volcanic gases are the first products to reach the surface and indeed predominate in all the stages of the eruption, rendering it more or less explosive. Once the eruptive phase comes to an end, the gases continue emanating while the magma cools far below. Variations in the volume or chemistry of these gases may indicate impending eruptions.

La mayor parte de los volátiles está constituida por vapor de agua; también están presentes el ClH, CO_2, SO_2, SH_2, etc. En general, las emanaciones post-eruptivas se denominan *fumarolas,* reservándose el nombre de *solfataras* para las que tienen temperaturas superiores a los 100º C y un elevado contenido en azufre.

Los *piroclastos* se forman cuando los gases, al escapar violentamente, fragmentan el material fundido, que es lanzado al aire, donde se enfría y cae posteriormente en forma de lluvia. La mayoría de los fragmentos caen cerca de la boca eruptiva y se acumulan formando el cono volcánico. Otros son expulsados a mayor distancia, o son arrastrados por el viento y, cuando se depositan, lo hacen en capas muy extensas, cada una de las cuales corresponde a una fase explosiva.

Los piroclastos de proyección aérea se clasifican según su tamaño y composición; los basálticos de pequeño tamaño se denominan *lapillis* —picón o zahorra—. Los de mayor tamaño se denominan genéricamente *escorias,* que en algunos casos adquieren formas redondeadas al girar en el aire; son las bombas, que pueden adquirir gran tamaño. Los piroclastos traquíticos más ligeros, claros y porosos constituyen la *pómez.*

El nombre de *cinder* se aplica a los depósitos piroclásticos mixtos, pero predominantemente escoriáceos, que suelen acumularse alrededor de una boca eruptiva, constituyendo el cono volcánico.

En algunos casos los piroclastos traquíticos forman una nube muy densa —*nubes ardientes*— y, tras elevarse muy poco, caen conjuntamente formando una gran masa que se desliza por las pendientes a gran velocidad, hasta que se depositan en masas caóticas que engloban todo lo que han arrancado a su paso. Estas masas a veces presentan rasgos de fluidez y se denominan *ignimbritas.*

The greater part of the gases is water vapour; also present are ClH, CO_2, SO_2, SH_2, etc. Post eruptive emanations are generally termed «fumaroles», the name «solfataras» being reserved for those with temperatures above 100º C and a high sulphur content.

Pyroclasts are formed when the gases escaping at great speed break up the molten material which is thrown into the air, where it cools, falling to earth again in the form of rain. The majority of these fragments fall close to the eruptive opening and accumulate there, forming a volcanic cone. Others are thrown greater distances, or are even carried away be the wind and fall in layers, each of which corresponds to a different explosive phase.

The pyroclasts which fall from the air (ash-fall) are classified according to size and composition; the small fragments are called lapilli, known in Tenerife as «picon». The larger ones are termed «scoria». In some cases they acquire a rounded shape as they turn in the air; these are volcanic bombs and can be very large indeed. The trachytic pyroclasts —porous and lighter in weight and colour— are pumice.

In some cases, the trachytic pyroclasts form a very dense cloud —«glowing cloud» or «nuee ardente»— which rise only a short distance and fall together forming a great mass which slides quickly down the slopes until it settles chaotically, having engulfed everything in its path. These masses (ash-flow) at times have a certain fluidity and are known as «ignimbrites».

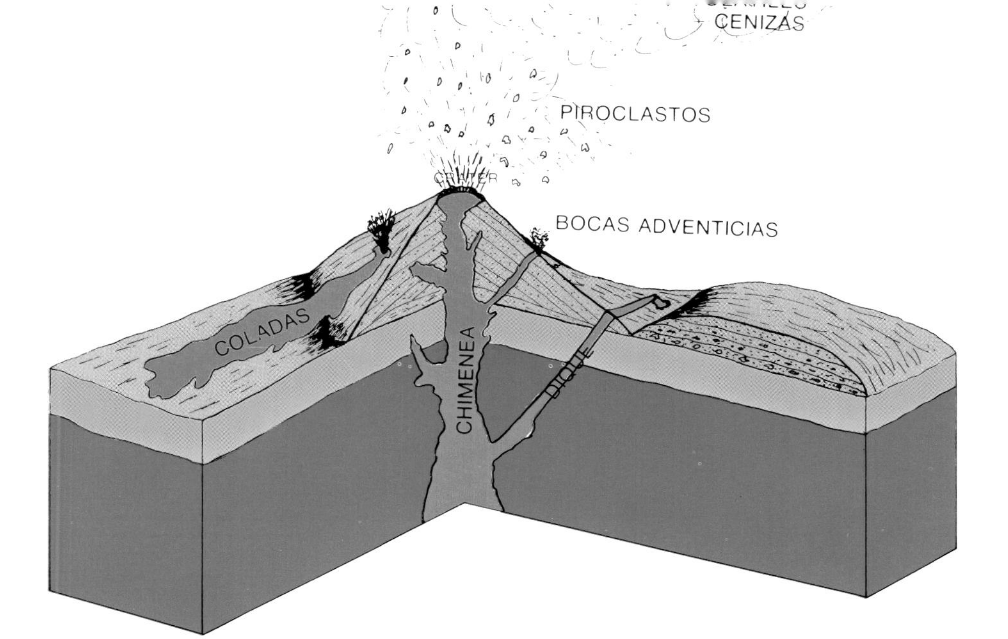

Las *coladas* o *lavas* están constituidas por el material fundido que fluye de las bocas eruptivas y se derrama sobre la superficie formando corrientes más o menos rápidas y potentes según la viscosidad del magma. Las características de las coladas son variadísimas y a algunas de ellas nos referiremos en las siguientes páginas.

Lógicamente, todos estos materiales, así como sus estructuras de apilamiento, son modificados por la meteorización y la erosión, así como por las erupciones posteriores; de ahí que sólo están bien conservados los productos de los volcanes más recientes. En este sentido no olvidemos que las Canarias constituyen una de las principales áreas volcánicas activas, con numerosas erupciones cuaternarias y varias históricas entre las que destaca la que tuvo lugar en Lanzarote entre los años 1730 y 1736, una de las mayores que se conocen en el planeta.

The lava flows are made up of the molten material which flows from the eruptive opening and spills over the surface, forming currents of different speeds and thicknesses, according to the viscosity of the magma. The characteristics of lava flows are diverse and some of these will be dealt with in later chapters.

Logically, all these materials, together with their deposition structures, are modified by meteorization and erosion, as also by later eruptions. Thus, the best-preserved products are those of the most recent volcanoes. In this sense, it must not be forgotten that the Canary Islands are one of the main volcanically active areas, with many Quaternary eruptions and several historic ones, among which predominate the Lanzarote eruption between 1730 and 1736, one of the Earth's biggest. The photograph is of the Teneguia, the last volcano formed in the archipelago (La Palma, 1971).

Materiales volátiles

Emanaciones gaseosas

La única zona de Tenerife en la que se manifiestan emanaciones gaseosas es el Pico de Teide. En la cima de este volcán existen algunos salideros de gases y vapor, fenómeno que se acentúa en el cráter, donde el SO_2, al enfriarse y oxidarse en contacto con la atmósfera, da lugar a la formación de pequeños cristales de azufre.

Volatile materials

Gaseous emanations

The only zone of Tenerife where gaseous emanations take place is on the Peak of Teide. At the top of this volcano there are several outlets of gases and vapor, a phenomenon even more accentuated inside the crater, where the SO_2, upon cooling and oxidizing on contact with the atmosphere, gives rise to the formation of small sulphur crystals.

En esta fotografía se ha polarizado la luz para contrastar la salida de gases en el cráter del Teide.

The dark coloured sky is due to the polarizing effect which enhances the gas outlet.

Productos hidrotermales

Muchos puntos de la isla reflejan indicios de una importante actividad hidrotermal, es decir, de la circulación prolongada de agua y otros volátiles a elevada temperatura, que al ascender hasta las capas superficiales depositan las sales que llevan disueltas y provocan una intensa alteración en las rocas, que adquieren así un fuerte colorido, como el de este afloramiento de «Los Azulejos».

Hydrothermal products

At many points of the island there are indications of important hydrothermal activity, i. e. the prolonged circulation of water (brines) and other volatiles at a high temperature, which, on reaching the surface layers, deposit the salts they carry and bring about an intense alteration in the rocks, giving them a strong colouring, as in this outcrop at «Los Azulejos».

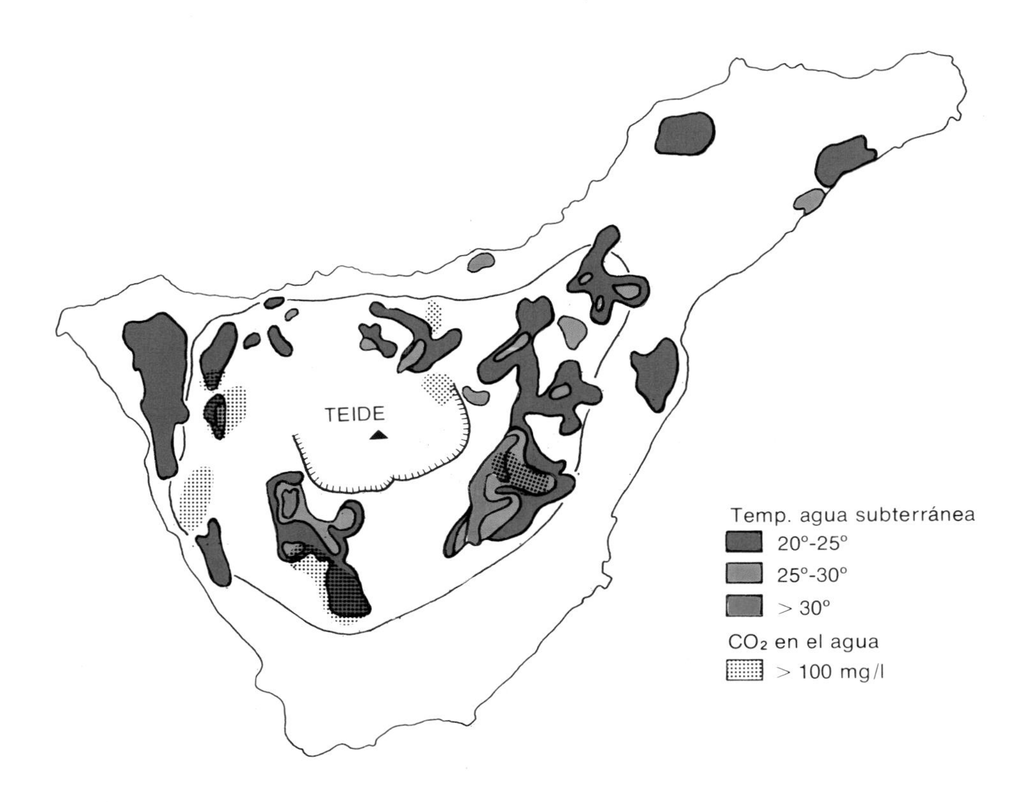

La existencia de sistemas hidrotermales en la actualidad queda reflejada en el mapa que muestra la temperatura de las aguas subterráneas y su contenido en CO_2, índices ambos del elevado flujo térmico que todavía persiste en las entrañas de la isla.

The existence of a present-day hydrothermal system is shown in this map which gives the temperatures of subterranean waters and their SO_2 content. Both these factors indicate the high thermal flow still existing in the depths of the island.

Materiales piroclásticos

Bombas volcánicas

Ya hemos dicho que las bombas son fragmentos de lava expulsada en una fase explosiva y que al girar en el aire adquieren un típico aspecto fusiforme más o menos redondeado. Su superficie aparece cuarteada debido a la retracción que experimenta su superficie, que se enfría antes que el núcleo. En una de las bombas se aprecian también las inclusiones (más oscuras) de fragmentos menores englobados en la masa principal.

Algunas bombas son extraordinariamente voluminosas y dan idea de la violencia de las explosiones que expulsaron estos ejemplares a centenares de metros de altura.

En general, las bombas caen en el mismo depósito que el resto de las escorias, formando depósitos de cinder. En estos casos, las bombas englobadas se enfrían más lentamente, conservando su plasticidad, por lo que las encontramos aplastadas y deformadas.

Pyroclastic materials

Volcanic bombs

Cracks appear on the outside of the bombs, due to the shrinkage of the surface as it cools more quickly than the nucleus. Smaller fragments, darker in colour, incrusted into the main mass of one of the bombs, are easily distinguishable.

Some bombs are very big and this gives an idea of the violence of the explosions which projected them several hundreds of metres into the air.

The bombs generally settle alongside the rest of the volcanic scoria, forming deposits of cinder. In these cases, the covered bombs cool more slowly, thus retaining their plasticity, which is why they are flattened and deformed.

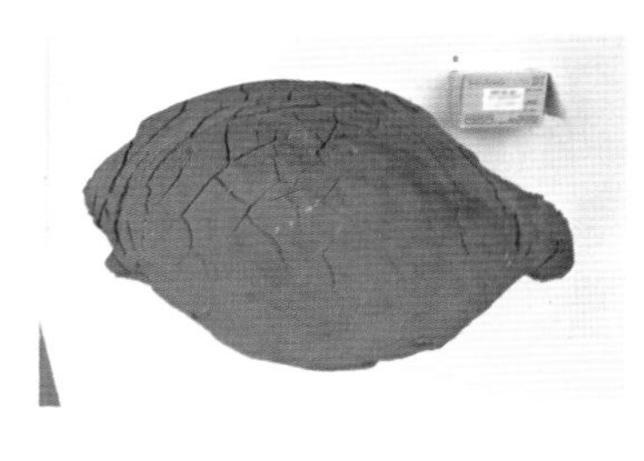

Depósitos de proyección aérea

En esta página vemos dos aspectos de depósitos piroclásticos. El tamaño de los fragmentos es relativamente pequeño, por lo que han podido ser proyectados y transportados en el aire hasta zonas alejadas de sus centros de emisión. El hecho de que no haya discontinuidades importantes entre capa y capa revela que todo el conjunto representa distintas explosiones de la misma erupción en uno o varios volcanes simultáneos.

En la fotografía superior se observa una curiosa alternancia de piroclastos basálticos (oscuros) y traquíticos (claros), lo que indica que en una zona más o menos próxima tenían lugar, casi simultáneamente, erupciones de tan distinta composición.

En la fotografía inferior se muestra otra sección de este tipo de depósitos con varias capas de distinta granulometría. Como puede verse, las capas se adaptan al terreno sobre el que se depositan, amoldándose a la topografía preexistente.

Si los fragmentos caen todavía calientes pueden soldarse unos con otros dando mayor coherencia al depósito. El mismo fenómeno de soldadura puede producirse por un proceso posterior al circular gases y líquidos hidrotermales, que depositan sus sales entre los fragmentos provocando la cementación de los mismos. Los depósitos piroclásticos soldados, o cementados, se denominan genéricamente *tobas*.

Deposits of aerial projection

In the photograph above, a curious alternation of dark, basaltic and light, trachytic pyroclasts can be noted, which indicates that eruption of such different compositions took place almost simultaneously, in almost the same zone. The lower photograph shows another section of this type of deposit (ash-fall), with various layers of different grain-size.

If the fragments are still hot when they settle, they may weld together, the deposit taking on a more cohesive appearance. Welding may also take place due to a further process, as the gases and hydrothermal liquids circulate, depositing their salts among the fragments and cementing these. Welded or cemented pyroclasts are generically called tuffs.

Tobas y depósitos de nube ardiente

Frecuentemente los productos piroclásticos se depositan en masas caóticas sin estratificación alguna. Estos casos responden generalmente al violento proceso explosivo que sucede a un taponamiento de la boca eruptiva. Es tan alto el volumen de piroclastos producidos al «destupirse» nuevamente el conducto, que se forma una densa nube, la cual no puede elevarse debido al gran porcentaje de fragmentos rocosos que lleva en suspensión. Se provoca entonces un flujo turbulento de cenizas (ash-flow), que se desplazan con alta velocidad a ras del suelo, hasta que se depositan caótica, pero unitariamente, y todavía ardientes, pese al carácter fragmentario del material.

La fotografía muestra un potente depósito de «nube ardiente». Podemos imaginar la violencia con la que se tuvo que desplazar este volumen de gases y polvo, hasta detenerse donde hoy lo encontramos. Erupciones de este tipo son equivalentes a las del Mont Pele, que en 1902 destruyeron la capital de Martinica con sus 30.000 habitantes.

Tuffs and glowing-cloud deposits

Pyroclastic products are frequently deposited in chaotic masses, without any stratification. In the photograph, one of these examples can be perceived. It is easy to imagine the violence with which this volume of gases and dust was displaced, until it settled where it lies today. Eruptions of this type are equivalent to those of Mont Pelée which, in 1902, destroyed the capital of Martinique and its 30.000 inhabitants.

Aunque los depósitos de piroclastos, cuando se acumulan todavía calientes, suelen compactarse y soldarse, es lógico que su origen fragmentario los haga fácilmente atacables por la erosión, que a veces crea en ellos formas espectaculares, como las denominadas «señoritas» o «dames coiffes» que muestran dos de las fotografías.

Although pyroclastic deposits tend to weld if they accumulate before cooling, it is logical that their fragmentary origin renders them vulnerable to attack by erosion, giving then spectacular shapes at times, like these so-called «dames coiffées», as in two of these photographs.

Materiales lávicos

Curso y geometría de las coladas

Las coladas o corrientes de lava surgen de las bocas eruptivas y discurren a favor de las pendientes del terreno, hasta que se enfrían o cesa la emisión de magma.

En la fotografía superior se observa la salida de unas coladas basálticas del volcán de Chahorra, o de las Narices del Teide, que hizo erupción el año 1798 sobre una de las laderas del Pico Viejo.

Cuando el magma es muy viscoso, las coladas tienen escaso recorrido y se enfrían, solidificándose, muy cerca o sobre la misma boca eruptiva. Se forman entonces apilamientos cupuliformes también denominados «cúmulo-domos» o «toloides», como el situado en la base del Teide que vemos enmarcado por la pared de Las Cañadas.

A veces, las erupciones viscosas dan origen a una sola colada muy potente que corona el centro de emisión. Muy gráficamente, en Tenerife se denominan «sombreros» a estas planchas traquíticas (Sombrero de Chasna, foto inferior derecha).

Lava flows

Course and geometry of lava flows

Lava flows pour from the mouth of the eruption and run according the slopes of the terrain, either until they cool, or until the emission of magma ceases.

This photograph shows the beginning of some basalt flows from the volcano of Chahorra, or «The Noses of Teide», which erupted in 1798 above one of the sides of the Pico Viejo.

When the magma is very viscous the flows do not spill over very long distances, but cool and solidify quickly, very near or even around the actual emission vent. Domed piles of material called tholoids, or volcanic domes, are formed, such as this one situated at the base of the Teide and framed by the wall of Las Cañadas.

Viscous eruptions sometimes create only one very thick lava flow which lies above the centre of emission. Very graphically, in Tenerife, these trachytic flows are called «hats». The last photograph shows the «sombrero» (hat) of Chasna.

Las coladas relativamente viscosas y cortas presentan una típica geometría de derrame —tipo glaciar— en las que el empuje puntual del material que continúa saliendo provoca unas ondas de empuje, cuya disposición indica el sentido del flujo. (Esta fotografía se ha polarizado para que pueda observarse con más detalle la citada morfología.)

Relatively viscous and short flows present a typical geometry of spilling —glacier type—. The material, as it continues pouring out, produces «pressure ridges» which control the direction of the flow. (The polarized light enhances the ridges of the lava flow.)

Cuando la pendiente es muy fuerte, del frente de la colada se desprenden masas todavía fundidas que ruedan cuesta abajo como un alud, hasta que se detienen formando una gran «bola de acreción».

When the slope is very steep, masses of molten material break away from the front of the flow and rush down like an avalanche until they come to rest, forming great «accretionary lava balls».

Estructura y superficie de las coladas

Al discurrir las coladas va separándose su fase gaseosa, que escapará definitivamente al solidificarse las lavas, en las que quedan unos huecos —antiguas burbujas— que suelen aparecen estirados en la dirección del flujo.

La base y techo de la colada se enfrían antes que su núcleo, cuando la colada todavía está en movimiento. Esta es la razón del carácter escoriáceo y rugoso que tiene casi siempre la base de una colada, y muchas veces su techo. Tales características permiten también distinguir fácilmente las distintas unidades lávicas, procedentes de una o varias bocas eruptivas, cuando se apilan unas sobre otras, siendo lógicamente más antiguas las inferiores, aunque esta mayor antigüedad puede ser sólo de horas o días.

Structure and surface

As the lava flows along, its gases escape, so that the final solidified lava has large holes in it —bubbles— which are generally stretched in the direction of the flow.

The bottom and top of the flow cool before the nucleus while the lava is still moving. This explains the rugged and crumbled appearance at the botton of every flow and often at the top. These characteristics also make it easy to distinguish between the different lava units which, although erupted from one or more emission vents, como to rest on top of one another. Logically, the oldest flows are those at the bottom, although their greater age may be only a matter of hours or days.

Un caso especialmente interesante se presenta cuando entre la deposición de dos coladas sucesivas ha transcurrido un largo período de tiempo: centenares, miles, o incluso millones de años. El mejor indicador de esta situación es la presencia de un *almagre* entre dos coladas superpuestas.

Los almagres son unos niveles rojizos que corresponden a un *suelo** que ha sido rubefactado al discurrir sobre el mismo una colada muy caliente.

Tanto los almagres como los niveles piroclásticos** alterados tienen interés porque se comportan como capas impermeables que dificultan la filtración del agua hacia zonas más profundas; de ahí que las fuentes, y los manantiales estén frecuentemente asociados a estas formaciones (Fuente del Joco en la foto).

When two lava flows are separated by a long time interval, an «almagre» (baked soil) is frequently found between them. These red layers are formed by the baking of a soil by a very hot lava flow. In the lower photograph the contrast between recent, unaltered and older, reddish lava flows. On the latter, some vegetation is already growing.

---

* Los suelos, o capa fértil del terreno, son la cobertera superficial, generalmente rica en materia orgánica, que sirve de sustrato al mundo vegetal. La formación de un suelo implica una larga interrupción en las erupciones de la zona para que los agentes atmosféricos puedan atacar y transformar la superficie dura de las coladas.

En la fotografía inferior se observa el contraste entre una colada histórica —negra, de superficie bien conservada y sin apenas vegetación— y otra, en primer plano, ya enrojecida por la alteración, que comienza a ser colonizada por las retamas, aunque, por ser todavía reciente, no se ha formado un auténtico suelo. La composición y estructura del material puede retrasar la génesis del suelo, como ha ocurrido en la roca sálica más antigua y de color claro que aparece en segundo término.

** En el campo no siempre son fáciles de distinguir los almagres auténticos de los niveles piroclásticos, ya que éstos, pese a que suelen ser contemporáneos de las coladas, se alteran con más facilidad, dando tonos rojizos.

Los aspectos estructurales de las coladas se aprecian mejor cuando se trata de lavas basálticas muy fluidas con poco espesor y largo recorrido.

En algunas ocasiones las coladas son predominantemente escoriáceas y apenas existe un nivel masivo en el núcleo de cada unidad lávica; por el contrario, los magmas traquíticos muy viscosos se derraman en potentes coladas sin una estructura definida.

The structural aspects of lava flows are more patent in the case of very fluid basaltic lavas, which are thin and flow over long distances.

Sometimes the lava flows are predominantly scoriaceous and the massive nucleus is almost absent; on the other hand, very viscous, trachytic magma pours out in thick flows but without any definite structure.

Las coladas, al enfriarse, disminuyen su volumen, por lo que se originan unas grietas o diaclasas verticales de retracción cuya disposición es prismática.

Si la colada es muy potente, la retracción tiene lugar también en la vertical, formándose unos «cinturones» localizados a un tercio de la base. En esta fotografía se observa también un nivel rojizo bajo de la colada; se trata de un almagre o suelo rubefactado.

The volume of lava flows decreases as they cool, so cracks or joints appear, with a columnar disposition.

If the flow is very thick, shrinkage also takes place vertically, forming «belts», situated a third of the distance from the base. The photograph also shows a reddish layer underneath the flow. This is an almagre or «baked soil».

La superficie de las coladas varía de acuerdo con la viscosidad y composición del magma. Las coladas menos viscosas presentan una superficie lisa que se conoce con el nombre de *pahoehoe*, que en lengua hawaiana define un terreno sobre el que se puede caminar descalzo.

La superficie áspera —lavas *aa* en hawaiano— equivale a un *malpais* como el de la colada que ocupa la parte superior de la fotografía, contrastando con la colada pahoehoe en primer plano. En este caso ambas coladas tienen una composición basáltica similar, por lo que su diferente viscosidad dependerá del contenido en gases y de la temperatura de la lava.

Dentro de las lavas pahoehoe existe una gran variedad de singular belleza, muy bien representada en «Los Lajiales» de la isla del Hierro, como veremos al estudiar esta isla.

The surface of lava flows varies according to the viscosity and composition of the magma. Less viscous flows have a smooth surface, known as «pahoehoe», which in Hawaiian means «land where one can walk barefoot».

Rough-surface lava flows are called «aa» lavas in Hawaiian, and «malpais» or «badlands» in the Canaries, such as that shown in the upper part of the photograph, in sharp contrast with the pahoehoe flow in the foreground. Both flows in this case have a similar basaltic composition, so their different viscosity must depend on their gas content and the temperature of the lava.

El término extremo de viscosidad magmática está representado por las *coladas en bloques*. En este caso (foto superior), una colada obsidiánica* se ha roto durante su curso en grandes fragmentos ya casi fríos, que continúan avanzando, en una masa caótica semifundida, gracias al empuje de las lavas que continúan emitiéndose por las bocas eruptivas.

Block-lavas represent the extreme in magmatic viscosity. In this case (upper photograph) an obsidian flow has broken into great blocks, as it flows along. Already cold, they continue to advance in a semi-molten, chaotic mass, due to the pressure of the lava still being emitted.

---

* El término obsidiana no hace referencia a la composición del magma —existen obsidianas basálticas y traquíticas—, sino al carácter vítreo de las lavas que está asociado al color negro, fractura concoidea y brillo característico. Su fácil talla hace de esta roca un material idóneo para fabricar puntas de flecha y otros instrumentos cortantes —«tabonas»— que aparecen en los yacimientos arqueológicos del pueblo guanche. Esta industria lítica de la obsidiana fue común a los numerosos pueblos prehistóricos que habitaron regiones volcánicas, y lo es todavía en algunas civilizaciones primitivas.

---

* *The term «obsidianic» does not refer to the composition of the magma —there are basaltic and trachytic obsidians— but rather to the vitreous character of the lavas which is associated with a blackish colour, conchoidal fracture and characteristic, glassy lustre.*

A veces, en la superficie de las coladas pahoehoe aparecen estos abombamientos debidos a la presión de lavas, todavía fundidas, bajo una costra ya solidificada.

Pressure tumulus formed when the lava fractured and uplifted the solidified crust.

Aunque las ignimbritas, como ya dijimos, tengan un origen piroclástico, tipo nube ardiente, sus características fluidales y posterior soldadura les confieren rasgos típicos de coladas lávicas. Este fenómeno es muy frecuente en el edificio central, y no en vano fue descrito científicamente por primera vez en Tenerife, aunque el nombre que originariamente (año 1868) se dio a estas rocas —eutaxitas— ha caído en desuso.

Las grandes planchas ignimbríticas presentan generalmente pliegues o huellas de flujo turbulento, pero en ocasiones el flujo es laminar y queda reflejado en la estructura «lajeada» que se aprecia en la fotografía. Obsérvese la curvatura de los planos de laminación cuando la colada se detuvo intentando remontar un obstáculo.

Slabs or «lajas» originated by the laminar flow planes in the thick ignimbritic flow of the photograph. These «lajas» are extensively used in the Canaries for ornamental and building purposes.

Las masas lávicas pueden presentar curiosas estructuras adquiridas al combinarse el efecto de la retracción con los fenómenos de alteración y meteorización. Los casos más típicos son la disyunción en bolas (por descamación esferoidal) y las rosas de piedra (por disyunción radial).

Lava masses may present curious structures due to the effect of shrinkage combined with the phenomena of alteration and meteorization. The most typical cases of this are onion-skin, spheroidal exfoliation and radial jointing, called «roses» in the Canary Islands.

La propia dinámica de las coladas crea las típicas cuevas y simas existentes en estos terrenos y en especial los tubos o túneles volcánicos, como el que existe en Icod, cuya formación analizaremos al describir los más conocidos de Lanzarote.

Una curiosidad en la isla de Tenerife es la Cueva del Hielo, próxima a la cima del Teide. En ella el agua de nieve filtrada se solidifica en invierno, pero no llega a deshelarse durante el largo verano debido a la escasa conductividad calorífica de las paredes de la cueva, cuyas rocas se comportan como un aislante térmico.

Es interesante también resaltar cómo la concentración de erupciones en el centro de la isla ha formado edificios muy altos en los que la climatología es extrema, pese a que el archipiélago se encuentra en una zona templada subtropical de acuerdo con su latitud y localización oceánica.

The dynamics of lava flows create the typical caves found in these terrains and especially the volcanic tubes or tunnels, like this one at Icod. The formation of these tubes will be analyzed while dealing with the better known examples from Lanzarote.

One of the curiosities of the island of Tenerife is the Cave of Ice, near the top of the Teide. In winter the snow-water filling the cave freezes, but does not melt in summer, due to the low thermal conductivity of the cave walls, which act as a thermic insulator.

It is also interesting to note how the concentration of eruptions in the centre of the island has formed very high altitudes where the climate is extreme, in spite of the islands being in a temperate zone as regards their latitude and oceanic situation.

Apilamientos de coladas

Estamos habituados a considerar a los edificios cónicos como los principales factores del relieve volcánico; sin embargo, la altura de estos conos está condicionada por el ángulo de equilibrio de sus laderas. Son, en cambio, los apilamientos subhorizontales de las coladas los que van conformando la base topográfica insular.

Obsérvese cómo pocas pero potentes coladas traquíticas han contribuido a formar el techo de la segunda altura de la isla (2.718 m en Guajara).

Stratified lava flows

Conical edifices are generally considered main features of volcanic relief. However, the height of these cones is limited by the angle of equilibrium of their slopes. In fact, the sub-horizontal pile-ups of lava flows usually form the topographic heights of the islands.

Valles intercolinares

Las acumulaciones de coladas en zonas específicas pueden crear también una topografía singular como la de los valles intercolinares. A este fenómeno se debe la formación de los «valles» de La Orotava y Güimar, cuyos márgenes son los paquetes de coladas procedentes de erupciones muy localizadas en la cordillera dorsal. Es decir, que en estos casos no se ha excavado un valle, sino que se han ido levantando sus paredes, que hoy aparecen casi verticales al ser retocadas por la erosión.

The piling-up of lava flows in specific zones may also create a singular topography such as valleys like those of Orotava and Güimar, the margins of which are thick pile-ups of lava flows which were emitted at very localized centres in the dorsal ridge. In these cases, a valley has not been excavated, but rather its walls have been building up and seem almost vertical today, thanks to erosion.

La aparatosidad de algunos potentes apilamientos de coladas cortadas a pico, principalmente en estos valles y en los acantilados costeros, hizo pensar en la actuación de grandes hundimientos relacionados con importantes fallas, pero tales fallas no existen realmente en la isla de Tenerife, o al menos no afectan seriamente a las formaciones volcánicas que afloran. Sin embargo, la propia inestabilidad de las acumulaciones de material volcánico exige una serie de acoplamientos al asentarse el terreno, que se manifiestan en la aparición de grietas y de fracturas con escaso desplazamiento, como se observa en la fotografía.

The spectacular scarpments made up of stratified lava flows, mainly in these valleys and on cliffs along the coast, led scientists to wonder whether sinking had occurred in relation to important faults, but such faults do not really exist in Tenerife, or at least do not seriously affect the outcrops of volcanic formations.

However, the lack of stability in accumulations of volcanic materials calls for a series of adjustments, as the land settles. Cracks and fractures will appear, with small displacements, as seen in this photograph.

Acantilados de Teno, que algunas teorías suponían formados por grandes fallas; sin embargo, el corte no continúa bajo el nivel del mar, sobre cuya plataforma natural se han instalado nuevas erupciones como se aprecia en la foto de Paisajes Españoles.

Cliffs of Teno in which marine erosion can be observed in all its strength.

En general, las coladas se apilan intercaladas con depósitos piroclásticos y almagres, como en este paquete de la playa de Antequera en Anaga, que ha tardado en formarse miles de años.

As a general rule, the flows pile up, alternating with deposits of pyroclasts and almagres (baked soils), as in this sea-cliff at Antequera beach in Anaga, which has taken thousands of years to form.

Sin embargo, centenares de coladas procedentes de un solo episodio eruptivo importante pueden acumularse cuando las condiciones son favorables y levantar en un breve período grandes edificios, como el que hoy recorta este acantilado de Teno.

However, hundreds of lava flows issued by a single, important, eruptive episode, may accumulate when conditions are favourable and raise great edifices in a brief space of time, such as this one in the cliffs at Teno.

Materiales subvolcánicos (Filonianos)

Diques y pitones

Las manifestaciones filonianas más importantes de Canarias se encuentran en Fuerteventura, pero en Tenerife son también espectaculares.

Ya hemos dicho que los diques representan conductos de emisión, es decir: la parte del magma que se enfría y solidifica sin llegar a la superficie, quedando atrapada —al cesar la erupción— en las grietas que comunicaban la cámara magmática con las bocas eruptivas.

En general, estas grietas o conductos corresponden a fracturas lineales; por ello los diques, descarnados por la erosión, aparecen resaltando como paredes que cortan a las formaciones anteriores. En las fotografías se aprecian la malla filoniana que atraviesa la cordillera dorsal, y la sección de un dique aislado.

Sub-volcanic materials

Dikes and plugs

The most important intrusive manifestations in the Canaries are to be found in Fuerteventura, but in Tenerife they are also spectacular.

It has already been said that dikes are emission conduits, i. e. that part of the magma which cools and solidifies without reaching the surface. As the eruption ceases, it gets trapped in the fissures which communicate the magma chamber with the surface.

Generally, these conduits are linear fractures, hence those dikes carved by erosion look like walls cutting through earlier formations. The photographs shows the network of dikes which dissect the Dorsal Ridge of the island and a close-up of a dike.

En la página adjunta se observa el dique pitón traquítico de Juan Bay —atravesando basaltos antiguos— y sobre estas líneas puede apreciarse su derrame superficial, del que procede la plancha superior de la península de Antequera, aunque la erosión ha hecho desaparecer parte de dicha plancha, a la vez que ha descubierto las raíces del pitón.

On these figures can be seen the trachytic plug of Juan Bay —intruding old basalts— and its surface flow, from which the upper slab of Antequera comes.

Las trincheras de las carreteras nos revelan frecuentemente la forma planar de los diques, que pueden prolongarse varios kilómetros.

La estructura interna de los diques suele presentar netas variaciones entre sus bordes y núcleo; este último, al enfriarse más lentamente, cristaliza mejor, pudiendo observarse sus minerales a simple vista. De igual manera los bordes suelen presentar una disyunción paralela a las paredes del dique, mientras que el núcleo la presenta perpendicular al plano de la intrusión.

La diferencia entre centro y márgenes puede ser mucho más neta, debido a reinyecciones de magma, una vez solidificados los bordes del dique, o bien a un efecto de tolva que hace concentrar en el eje las partículas más densas del fluido ascendente.

Road cuttings often reveal the plane of the dikes, which may run for several miles. The internal structure of the dikes usually presents clear variations between its margins and the nucleus; the latter crystallizes better since it cools more slowly and its minerals can be readily seen. In the same way, the margins generally present joints parallel to the walls of the dikes, wehreas, in the nucleus, they are perpendicular to the plane of the intrusion.

Other aspects of contrasts between the nucleus and margins in dikes.

El magma, al abrirse paso hacia la superficie, busca las zonas más débiles o favorables, que no son siempre verticales, y a veces, si no consigue romper las coladas que debería atravesar, se intercala con ellas formando un «sill», como los que se aprecian en esta lámina.

The magma on its way to the surface seeks out the weakest and most favourable zones, which are not always vertical. If it cannot break its way through the flows, it intercalates with them, thus forming a «sill» (see lower photograph).

Además de los diques, que son estructuras planares, existen conductos groseramente cilíndricos —chimeneas— relacionados con erupciones puntuales y generalmente traquíticas.

En estos casos, cuando la erosión desmonta el edificio volcánico y descarna sus raíces, aflora el material más compacto, que al cesar la erupción no llegó a salir y se enfrió lentamente, solidificándose bajo tierra en la chimenea. Son los *pitones* o roques que destacan en el paisaje como testigos de unos edificios volcánicos arrasados por la erosión.

En las costas de Anaga, la activa erosión marina ha dejado aislados varios de estos importantes pitones traquíticos, en el mayor de los cuales se ha formado un pequeño tómbolo.

Apart from the dikes, which are planar structures, there exist conduits (necks), grossly cylindrical in shape, related to central and generally trachytic eruptions.

In these cases, when erosion wears away the volcano and lays bare its roots, the more compact material comes to light. This did not reach the surface, because the eruption came to an end and it cooled slowly underground. These are the plugs, or «Roques» which stand out clearly in the landscape and bear witness to the existence of volcanoes which were erased by erosion.

On the coasts of Anaga, active marine erosion has isolated several of these important, trachytic plugs.

Edificios y estructuras volcánicas

Conos

Las formas positivas del relieve creadas por acumulación de productos volcánicos se denominan genéricamente edificios; entre éstos, el más característico es el cono, aunque ya hemos visto que los mayores edificios se forman por acumulación de coladas, lejos de los puntos de emisión.

Un cono puede elevarse por la acumulación exclusiva de piroclastos alrededor de la boca eruptiva —foto superior—, pero, cuando se emiten lavas traquíticas viscosas, son éstas exclusivamente las que configuran un edificio idealmente cónico, de pendientes suaves, como el volcán de Guaza, cerca de Los Cristianos.

Volcanic structures

Cones

Of all volcanic forms, the most characteristic is the volcanic cone. A cone may be formed by the accumulation of pyroclasts only, around the emission centre —upper photograph— but when viscous, trachiitic lavas are emitted, these are the only components of a volcanic cone, ideally conical with gentle slopes, such as the volcano of Guaza, near Los Cristianos.

Algunas coladas salidas desde el ápice pueden también contribuir a la construcción del edificio, como es el caso del pequeño vértice del Teide, que constituye la cima más alta de la isla y de España (3.718 metros).

In the photograph, the apex cone of the Teide, the highest point of the Island and of Spain (3.718 m).

Un mismo episodio eruptivo, con varias bocas, puede originar un *campo de volcanes* irregularmente distribuidos; pero, en general, los conos de la misma edad aparecen alineados sobre una fractura que puede prolongarse decenas de kilómetros.

La repetición de erupciones en numerosos puntos de la misma fractura provoca un apilamiento de estos edificios, que en el caso de Tenerife ha formado la cordillera dorsal, cuyas estribaciones se aprecian en esta fotografía.

La acumulación preferente de conos sobre un eje estructural es patente en la isla de Tenerife, como se aprecia en el mapa. Estas grandes fracturas se reactivan periódicamente apareciendo erupciones en algún punto de la misma y también en zonas próximas, ya que las fracturas no son únicas, sino que están conjugadas con grietas secundarias que forman unos 60º con el eje principal; de ahí la forma de y griega (Y) que adopta la isla como esqueleto para su expansión.

A single eruptive episode with several emission centres may originate a group of irregularly distributed volcanoes, but more frequently, cones of the same age appear aligned on a fracture which may extend for several kilometres.

Repeated eruptions along the same fracture favour the accumulation of volcanic cones which, in the case of Tenerife, has formed the central ridges.

The concentration of volcanic cones along structural trends is clearly patent in the island of Tenerife, as can be observed in the map. These great fractures are re-activated periodically, eruptions taking place along them and also nearby, since these fractures are in combination with secondary fissures at 60º to the main axis. Thus, the island took on a «Y» form as it expanded.

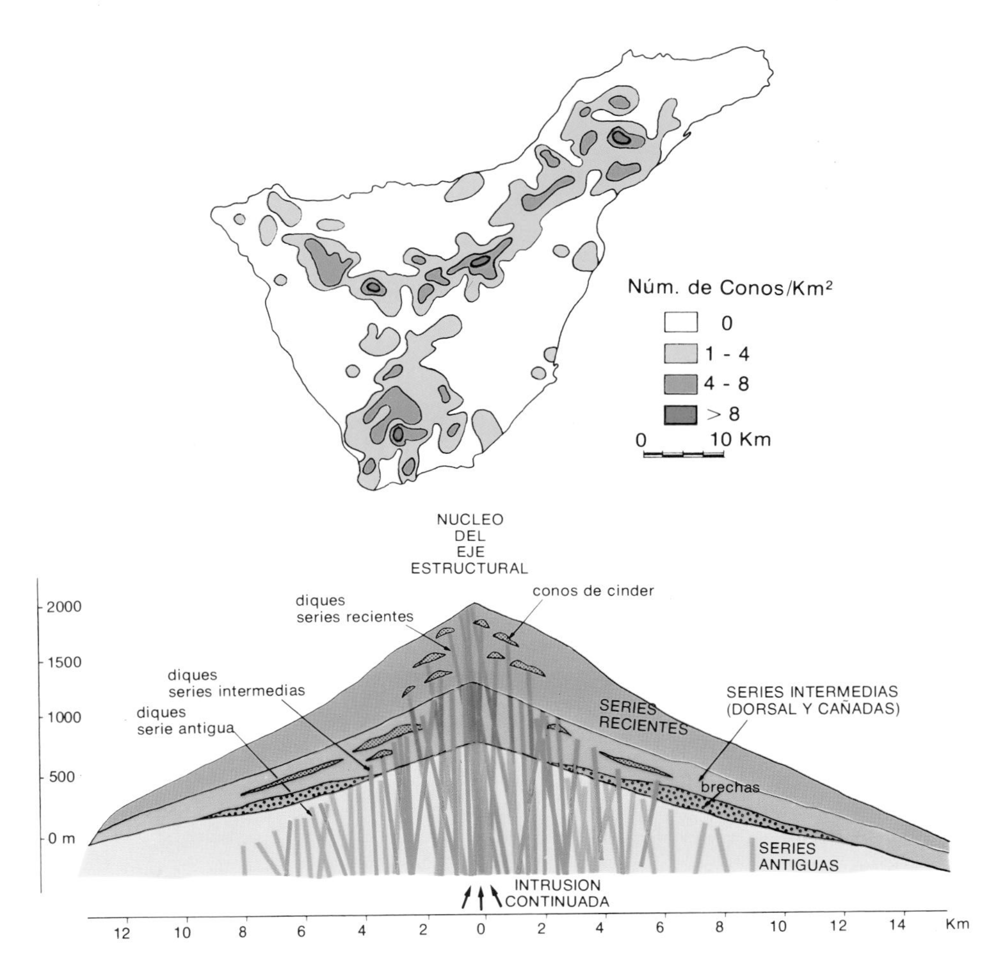

Hemos dicho que los diques reflejan antiguos conductos de emisión lávica; por tanto, es lógico que el eje estructural de la isla, señalado por la máxima acumulación de conos, coincida en sus raíces con una gran concentración filoniana. Efectivamente, una investigación en el subsuelo de la isla ha permitido comprobar que los diques son mucho más abundantes bajo la cordillera dorsal, con cuya orientación coinciden.

It has already been said that the dikes reflect old emission vents, therefore it is logical that the structural axis of the island, marked by the maximum accumulation of volcanic cones, should coincide in its roots with a great dike concentration. Indeed, research in the subsoil of the island has proved that the dikes are much more abundant under the Dorsal Ridge, with which they coincide in direction.

Estratovolcanes

El Teide es un estratovolcán, es decir, un edificio mixto de piroclastos y coladas que se ha ido formando al superponerse con el tiempo una serie de erupciones concentradas en la misma zona. Bajo el gigantesco cono actual se encuentran enterrados numerosos edificios, algunos de los cuales son visibles, como Pico Viejo, Pico Cabras y Montaña Blanca.

El Teide es, sin duda, uno de los principales edificios volcánicos del mundo, junto a los también famosos Fujiyama (Japón), Taal (Filipinas), Kilauea (Hawaii), Popocatepetl (México), Aconcagua (Chile-Argentina), Hekla (Islandia), Kilimanjaro (Kenia), Etna y Vesubio (Italia), etc. Su majestuosa presencia se manifiesta cada amanecer proyectando una mítica sombra sobre los mares del archipiélago.

Strato-volcanoes

The Teide is a strato-volcano, i. e. a composite volcanic cone, made up of pyroclasts and lava flows, which has been formed over the ages by a series of eruptions, concentrated in the same zone. Many old cones are buried under the present one, such as Pico Viejo, Pico Cabras and Montaña Blanca, which are all visible, although partially covered by later materials.

The Teide is doubtless one of the main volcanoes of the Earth together with Fujiyama (Japan), Taal (Philippines), Kilauea (Hawaii), Popocatepetl (Mexico), Aconcagua (Chile-Argentina), Hekla (Iceland), Kilimanjaro (Kenya), Etna and Vesuvius (Italy), etc.

The majestic silhouette of the Teide projects its mythical shadow each day at dawn over the seas of the archipelago.

Cráteres

En general, los edificios cónicos están truncados en su vértice por un orificio o cráter que ha permanecido abierto durante la erupción por las sucesivas explosiones.

Los cráteres pueden presentar diversa forma y tamaño; el del Pico Viejo, que muestra la fotografía, tiene casi un kilómetro de diámetro y varias terrazas internas a distinto nivel. Un detalle de la escarpada pared interna nos revela el origen explosivo de la configuración actual.

Craters

Generally, volcanic cones are truncated at their summit by an orifice or crater which has remained open during the eruption, due to successive explosions.

Craters are of different shapes and sizes. The Pico Viejo crater is almost 1 kilometre in diameter, as can be observed in the photograph, with several internal terraces at different levels. A detail of the steep, internal wall reveals the explosive origin of its present configuration.

Maares

Un tipo singular de edificios volcánicos lo constituyen los maares como el que muestra la fotografía y que se encuentra en el sur de Tenerife.

En este caso se ha producido una *erupción freática,* es decir, no ha habido erupción de magma, sino de agua. Probablemente, el fenómeno se debe a que un foco magmático próximo a la superficie calienta un acuífero poco profundo. El agua confinada eleva su temperatura hasta el punto de ebullición y la presión que alcanza el vapor provoca la erupción, formándose un amplio cráter en cuyas paredes se acumula el material superficial arrancado. Estos maares suelen producirse cerca de la costa, donde el agua marina se emplaza en acuíferos muy superficiales.

Maars

Maars are a singular type of volcano, such as this one in the photograph and which is situated in the south of Tenerife.

In this case, there has been a phreatic eruption; in other words, not an eruption of magma, but of water. The phenomenon is probably due to a magmatic focal-point near the surface heating a water-duct, again not far from the surface. The temperature of the confined water reaches boiling-point and the pressure of the steam produces the eruption, forming a crater, the walls of which are incrusted with the surface material which has been torn away. Maares usually occur near the coast where sea-water penetrates into subsurface aquifers.

Calderas

El Circo de Las Cañadas, con sus 17 kilómetros en el eje mayor, es una de las calderas más impresionantes que se conocen.

En el lugar que hoy ocupa la caldera estaba el techo de un edificio cupuliforme cuya altura no sobrepasaba seguramente los 3.000 metros. La cima de este edificio se hundió dejando una depresión elíptica cuyas escarpadas paredes se elevan en algunos puntos más de 500 metros sobre la base interna del Circo.

Hoy sólo podemos contemplar las paredes meridionales de la gigantesca caldera, ya que la pared norte fue posteriormente enterrada por erupciones posteriores, parte de las cuales han formado el Teide, cuyas lavas llegan, como vemos, hasta la base del escarpe.

El origen de este colapso, que quizá no fuera unitario —se habla de dos calderas separadas por los Roques de García—, puede explicarse por el vaciado de una cámara magmática poco profunda, cuyo techo no pudo soportar el peso del edificio que sus mismas lavas formaron. Lógicamente, en este proceso intervinieron también las violentas explosiones que resquebrajaron el edificio antes del hundimiento, y después de esto también la erosión ha hecho retroceder cierta distancia a la pared.

The Cirque of Las Cañadas, 17 kilometres at its greatest axis, is one of the most interesting calderas known.

Where the depression exists today was the top part of a domed, volcanic structure, probably no more than 3.000 metres high. The summit of this structure sank, leaving an elliptical opening, the steep walls of which rise in some points over 500 metres above the internal base of the Cirque.

Today, only the south walls of the gigantic caldera can be observed, since the north wall was buried by the later eruptions which have formed the Teide.

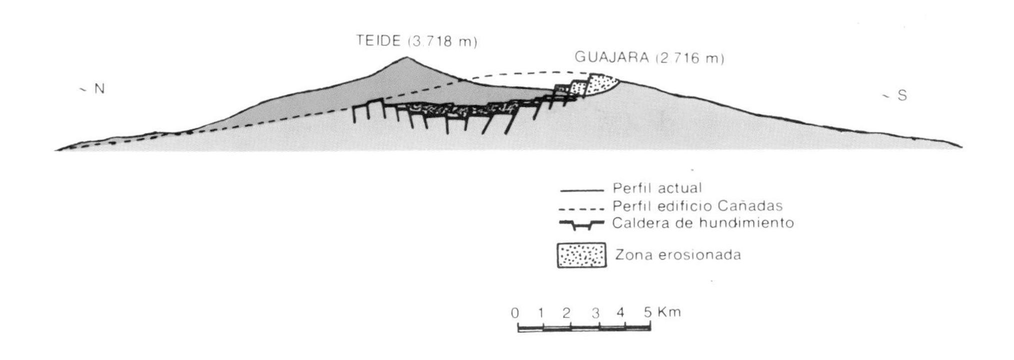

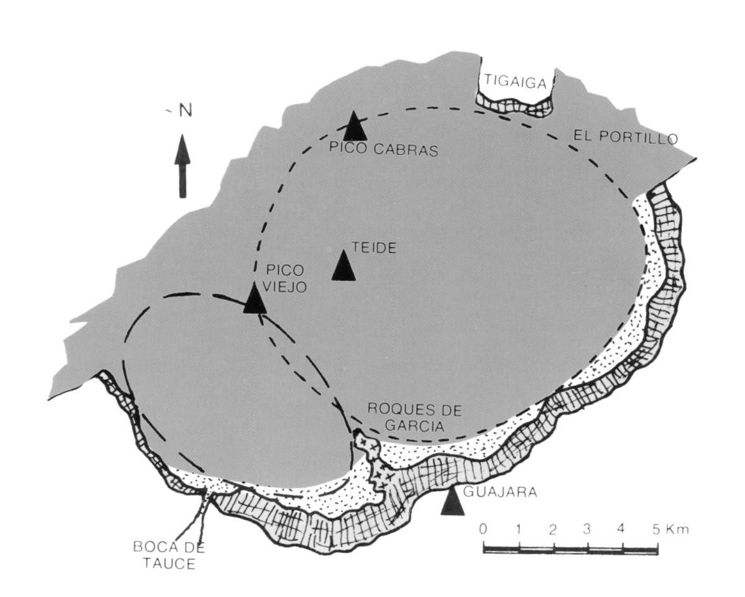

The origin of this collapse, which may not have been the only one —there is the hypothesis of two calderas, separated by the Roques de García—, can be explained by the emptying of a magma chamber at little depth, the ceiling of which could not support the weight of the volcanic edifice which its own lavas had formed. Later, erosion has carved the wall back a certain distance.

Lava flows from the eruptions of the Teide reach the base of the south wall of Las Cañadas, in this panoramic view.

Vista parcial de la pared, en la que destacan sus principales alturas (Roque de la Grieta, 2.576 metros, y en último término Guajara, 2.717 metros). Obsérvese cómo el origen de las coladas traquíticas que coronan la pared y vierten hacia el Sur marcaría la cúpula del edificio antes de su hundimiento.

En la segunda fotografía se observa el espigón de los Roques de García, que divide en dos la depresión. Entre los Roques de García y Boca de Tauce se extienden los Llanos de Ucanca, zona en la que se ha acumulado un lecho de materiales finos, fácilmente alterables y transformados parcialmente en productos arcillosos.

Partial view of the wall in which its highest points stand out (Roque de la Grieta, 2.576 metres and in the background, Guajara, 2.717 metres). It may be observed how the origin of the trachytic flows which crown the wall and extend southwards, marks the dome of the volcanic structure before it sank.

In the second photograph can be seen the Roques de García which divide the depression in two. Between the Roques de García and Boca de Tauce lie the Llanos de Ucanca, in which zone a bed of fine materials, easily altered and partially transformed into clay products has been accumulated.

Panorámica de las «bandas del Sur» que configuran las vertientes meridionales del edificio central, en cuyo interior destruido se eleva actualmente el Teide.

Panoramic views of the «Bandas del Sur», which configure the southerly slopes of the central volcanic edifice of the island, and of the South Wall of the Cirque.

Erosión en los terrenos volcánicos

La acción del mar

El oleaje es el principal agente erosivo en islas pequeñas como las Canarias. Se plantea aquí una lucha entre un agente exógeno destructivo —el mar— y un agente endógeno constructivo —el volcanismo—. La erosión hace retroceder la línea de costas, pero nuevas lenguas de lava ensanchan la isla manteniendo un equilibrio que hace palpable en el archipiélago la eterna lucha entre el fuego y el agua.

Erosion in volcanic terrains

The action of the sea

Waves are the main erosive agent in small islands such as the Canaries. A battle is waged here between an exogenous destructive force —the sea— and a constructive endogenous force —volcanism—. Erosion cuts back the coastline, but new tongues of lava widen the island, maintaining the balance, constantly felt in the archipelago in the eternal battle between fire and water.

La acción de la lluvia y el viento

En el interior de la isla se plantea el mismo proceso; por una parte, los volcanes elevan más y más la topografía, y por otra, los agentes meteóricos —agua, nieve y viento— erosionan progresivamente el terreno, suavizando el perfil agreste de los conos.

En las zonas más antiguas, que carecen de volcanismo reciente, la erosión ha progresado profundamente, excavando una red de drenaje muy desarrollada, como la que observamos en Anaga y Teno. Aunque actualmente no existen corrientes permanentes de agua (ríos), las escorrentías (aguas de lluvia que no se filtran en el terreno) se encauzan en una red de barrancos que experimentan irregulares avenidas torrenciales.

The action of rain and wind

In the interior of the island the same process takes place. On the one hand, the volcanoes raise the topography more and more. On the other, the meteoric forces of rain, snow and wind progressively erode the relief, smoothing the rugged outline of the volcanic cones.

In the oldest zones, lacking in recent volcanism, erosion has excavated a network of deep drainage ravines, as observed in Anaga and Teno. Although there are no permanent rivers, that rain-water which has not filtered into the soil drains into a network of gulleys, at times in torrential floods.

Mesas y cuchillos

Muchas veces los grandes edificios quedan reducidos y aislados, formando las típicas mesas y los afilados cuchillos. La erosión progresa espectacularmente en las laderas de los valles y en los acantilados, a favor de grandes deslizamientos y avalanchas.

Typical erosion landscape of «mesas» (tables) and «cuchillos» (sharp, razor edge type crests).

Mesa de Tejina, en la serie antigua de Anaga.

Mesa of Tejina in the Old basalts of the Anaga Massif.

En esta fotografía se resume el relieve insular, desde la desafiante y todavía casi inalterada fisonomía del Teide hasta las costas acantiladas más antiguas, que el mar ha hecho retroceder.

La variada litología volcánica ofrece además grandes posibilidades para una erosión diferencial, ya que los agentes meteóricos atacan con mayor intensidad y velocidad a los materiales blandos. Este hecho geológico favorece la aparición de espectaculares formas erosivas, como este «árbol de Piedra», cuya parte superior lávica es más dura y resistente a la erosión que la base rojiza de piroclastos soldados.

This photograph summarizes the relief of the islands, from the defiant and still almost inaltered outline of the Teide, to the oldest coastline cliffs, which the sea has driven back.

Moreover, the varied volcanic lithology offers great possibilities of a differential erosion, since meteoric forces attack soft materials more intensely and rapidly. This geological fact favours the appearance of spectacular erosive forms, such as this «rock tree», the top lava part of which is harder and more resistant to erosion than the reddish base of welded pyroclasts.

2

ASPECTOS SOCIALES Y ECONOMICOS

Es indudable que la geología de una región afecta de forma muy directa las condiciones de vida de sus habitantes. En este sentido parece oportuno pasar revista a determinados aspectos sociales y económicos en los que tiene especial repercusión el medio ambiente que supone una isla volcánica. No se trata de realizar aquí un análisis exhaustivo de la problemática socio-económica canaria en la que intervienen muchos factores ajenos al volcanismo, aunque éste casi siempre se encuentra en la base del problema al condicionar los recursos naturales.

Como ejemplo extremo digamos que el volcanismo incide incluso en los recursos pesqueros. Efectivamente, estas islas pueden considerarse como edificios cónicos levantados desde el fondo oceánico; carecen, pues, de una *plataforma costera* adecuada para la existencia de grandes bancos de pesca propios. Así, los únicos recursos de esta naturaleza se deben a la circunstancia afortunada de que las islas se encuentran en la zona de confluencia de diversas corrientes migratorias de peces, cuya captura exige una tecnología muy diferente a la empleada en los tradicionales caladeros de la vecina plataforma africana, que es un accidente geológico de escasa pendiente, típico de los bordes continentales (ver la batimetría en el mapa adjunto).

SOCIAL AND ECONOMIC ASPECTS

Without a doubt, the geology of any given region very directly affects the living conditions of its inhabitants. In this regard, it seems convenient to deal with several social and economic aspects, in which the ambiance implied by a volcanic island has a special influence. It is not the object of this book to make a complete analysis of the social or economic problems of the Canary Islands, in which many factors intervene apart from volcanism, although this factor is almost always at the roots of the problem, inasmuch as it conditions natural resources.

As an extreme example, be it said that volcanism influences even the fishery resources. Indeed, these islands can be considered as conical volcanic structures raised from the bottom of the ocean; they are therefore lacking in a coastal platform, adequate for the existence of their own fishing banks. Thus, the only resources of this nature are due to the fortunate circumstance that the islands are situated at the confluence of many currents where fish migrate (see bathymetric chart).

En otro tipo de recursos naturales (fuentes energéticas tradicionales, materias primas, suelo agrícola, agua, etc.) las islas Canarias son igualmente pobres, debido en parte a su origen volcánico; pero esto es común a la mayoría de las islas de menos de 10.000 km², cuyos recursos y condiciones de vida han sido analizados por la UNESCO en su interesante informe M. A. B.-7 (Man and Biosphere). La principal conclusión de este informe es que la eficiente administración y aprovechamiento de los escasos recursos naturales es de importancia capital; de ahí que el conocimiento de los condicionamientos geológicos deba extenderse a toda la población. En estos términos es de máximo interés la colaboración de la UNESCO y el Ministerio de Obras Públicas en la elaboración del Proyecto SPA-15, que constituye un válido estudio de los recursos hídricos del archipiélago, en cuyos datos y conclusiones nos basaremos al tratar este tema, directamente relacionado a su vez con el que podría considerarse como recurso básico: la agricultura.

La ordenación del territorio es otro tema que no puede enfocarse a espaldas de la realidad volcánica insular, máxime cuando a las ya superpobladas islas se suma una población flotante cuyo crecimiento exige una constante transformación de suelo agrícola en urbano. Es importante también no olvidar la actividad sísmica, en parte relacionada con el volcanismo, ya que la estación sismológica de Tenerife ha registrado en lo que va de siglo más de un centenar de terremotos, varios de los cuales son de elevada intensidad.

En general, la población canaria ha realizado un extraordinario esfuerzo y se las ha ingeniado para explotar al máximo sus recursos respetando el equilibrio natural, pero este equilibrio corre el peligro de romperse irreversiblemente si no se conocen las limitaciones que imponen las condiciones naturales del terreno que habitamos.

Queda todavía por desarrollar otro aspecto que nos parece fundamental

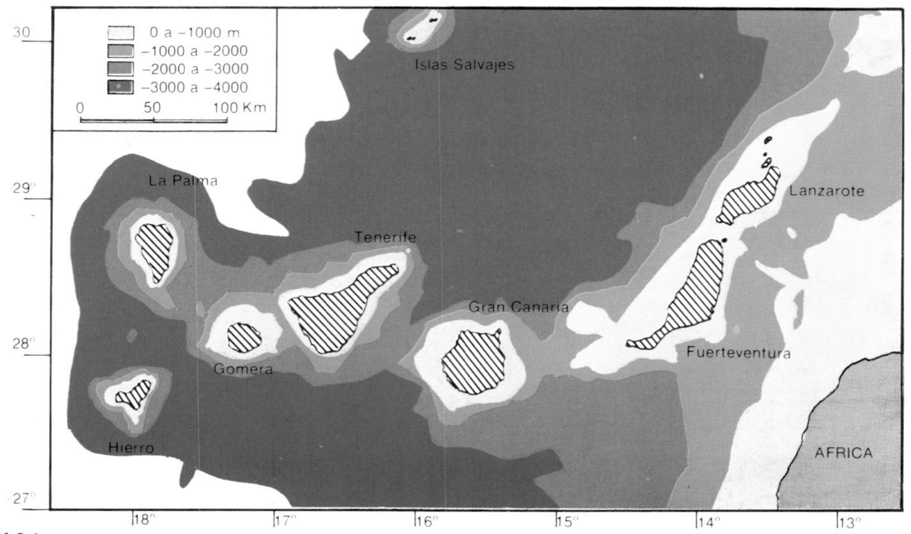

y es la trascendencia del volcanismo en la infraestructura cultural del archipiélago. Pocos pueblos poseen un patrimonio geológico tan valioso en el que sustentar una proyección intelectual; de ahí el empeño que pongamos en la divulgación de estos conocimientos y la necesidad de proteger al máximo nuestra naturaleza, que es algo más que un paisaje.

The Canary Islands are equally poor in another type of natural resources (traditional sources of energy, raw materials, farmland, water, etc.), due, in part, to their volcanic origin; but this is a factor common to the majority of volcanic islands, generally less than 10.000 sq. kms., where resources and living conditions have been analyzed by the UNESCO in its interesting report, M. A. B. 7 (Man and Biosphere). The main conclusion reached in this report is that efficient administration and use of meagre natural resources is of prime importance; thus, knowledge of the geological conditioning of a region should be extended to the entire population.

Another aspect directly related to the volcanic essence of the islands is territorial planning, particularly since in addition to the already very high density of native population, there is a large floating population, which implies a constant transformation of farmland into urbanized sites. It is important also to bear seismic activity in mind, partially related to volcanism. The seismic Observatory of Tenerife has registered, during this century, over one hundred earthquakes, several of high intentisity.

In general, the population of the Canary Islands has made an extraordinary effort to make the most of their resources, respecting nature at the same time. This ecological balance could be irreversibly damaged if the limitations imposed by the natural system of the islands are not known and understood.

A last point of capital importance to be considered is the influence of volcanism in shaping the cultural framework of the archipelago. Few people possess a geological heritage so valuable as that of these islands.

Erupción del volcán Chinyero (1909), en las faldas del Teide. Reproducción de una postal de la época.

Asentamientos de población

Pequeño caserío, a caballo de una cresta coronada por las planchas fonolíticas que forman la cobertera sálica de Anaga. Lo escarpado del relieve aísla estos enclaves humanos dedicados al cultivo de pequeñas parcelas en las cabeceras de los valles.

Settlements and roads

Little farmsteads astride a crest, crowned by the phonolitic slabs which form the salic covering of Anaga. The steep relief isolates these settlements, given over to the care of small «crofts» at the heads of the valleys.

Otro diminuto núcleo de población colgado en las proximidades del Roque Taborno. Este «roque» es, en realidad, un testigo erosivo de las antiguas formaciones basálticas tabulares de Anaga.

Parece que estas peculiares formas topográficas (una de las más típicas es el Roque Nublo en Gran Canaria) tenían un significado totémico para los guanches, y no sería extraño que alguno de los difíciles asentamientos urbanos actuales reproduzcan hábitos prehistóricos en la elección de su emplazamiento.

Relativamente cerca de este roque, y dominándolo, se encuentra un punto culminante de la dorsal de Anaga: el Bailadero, que probablemente deba su nombre a los ritos que la población prehispánica de la zona celebraba a la vista de sus *montañas sagradas**.

---

* Esta asociación de montañas con divinidades es particularmente acusada en las regiones volcánicas. De hecho, el término «volcán» procede de Vulcano —dios del Fuego—, cuya fragua es localizada por la mitología bajo el volcán del mismo nombre, en las islas Eolias. También para los guanches de Tenerife el Teide encarnaba una manifestación divina: Echeide.

A small village nestling near Roque Taborno. This rock is really an erosive witness of the old basaltic table-land of Anaga.

It would seem that these strange, topographical forms (one of the most typical is the Roque Nublo in Gran Canary) were looked upon as totems by the Guanches and perhaps some of these present-day, isolated settlements reproduce prehistoric emplacements.

Quite near this rock and overhanging it, is the topmost point of the Dorsal of Anaga: the «Bailadero», or «dancing place», which probably owes its name to the rites which the pre-hispanic population celebrated in sight of their sacred mountains.

La encajada red de drenaje que caracteriza a las formaciones basálticas antiguas se jerarquiza en valles como el de Taganana, en cuyas márgenes se acumulan potentes piedemontes y materiales de avalancha. Esto permite el desarrollo de comunidades agrícolas prácticamente incomunicadas hasta hace muy poco y cuyas viviendas trepan por las laderas, adaptándose el núcleo urbano al trazado de crestas y barrancos.

The deep-cut drainage network which characterizes old basaltic formations comes to a head in valleys such as that of Taganana, on the edges of which thick piedmonts and avalanche materials have accumulated. This permits the development of agricultural communities, practically incommunicated until recently, where the little cottages climb the slopes, adapting themselves to the peaks and ravines.

La topografía de las formaciones antiguas puede verse modificada y suavizada por rellenos de materiales volcánicos aportados por erupciones más recientes, que configuran valles de fondo plano (hoy densamente poblados y cultivados), como el de Tegueste, en las estribaciones occidentales de Anaga.

The abrupt topography of old formations may be modified and smoothed out as they are filled in with volcanic materials from more recent eruptions, shaping flat-bottoned valleys (nowadays densely populated and cultivated) such as that of Tegueste, on the westerly limit of Anaga.

El predominio de apilamientos basálticos en las costas septentrionales y su intensa erosión marina dificulta la existencia de puertos naturales. Una de las pocas excepciones era la de Garachico, donde se emplazó una activa ciudad cuyo puerto era la salida natural de los productos del Valle de Icod y de todo el norte de la isla. Pero en 1706 las lavas procedentes de una erupción en la base del Teide arrasaron la población y su puerto, modificando la línea de costa.

Sobre el terreno ganado al mar por un abanico de coladas se reconstruyó la ciudad, que se amolda en su trazado viario a la geometría de la lengua basáltica.

The predominance of basaltic pile-ups on the northerly coasts, plus intense marine erosion, impede the existence of natural ports.

A rare exception was Garachico, an active city with a port which handled all the produce of the Valley of Icod and the entire north of the island. But in 1706, lavas from an eruption at the base of the Teide razed the town and its port, changing the coastline.

Garachico was rebuilt on the land gained from the sea by a fan of lava flows, shaping itself to the geometry of the tongue of basalt.

El volcanismo no ha favorecido en Tenerife la existencia de amplias planicies que faciliten el normal crecimiento de una población importante. Sin embargo, el taponamiento por erupciones recientes del amplio valle que separaba el edificio Anaga y la Cordillera Dorsal originó una cuenca endorreica cuya colmatación dio lugar a la amplia llanura y fértil vega sobre la que se asienta la ciudad de La Laguna. Como indica su nombre, esta ciudad se fundó cuando todavía quedaban residuos lacustres en la zona, por lo que al extenderse la población sobre áreas recientemente desecadas son frecuentes las inundaciones, ya que en épocas de grandes lluvias se reproducen las condiciones originales.

Volcanism in Tenerife has not favoured the existence of wide plains, which would facilitate the normal growth of an important population. However, recent eruptions obstructed the wide valley, which separates the Anaga edifice and the Dorsal Ridge and created a basin which, filling up with sediments from the barrancos, originated the ample and fertile plain on which the city of La Laguna is situated.

As its name indicates, this city was founded when there were still some residual lakes in the zone. Thus, as the population extends over recently dried areas, floods are frequent, as the original conditions are reproduced during the rainy seasons.

Santa Cruz, la actual capital de Tenerife, se asienta, como casi todas las poblaciones costeras de la isla, en la confluencia de una serie de barrancos. Su crecimiento hacia el Norte está bloqueado por el macizo de Anaga y, en lucha lógica contra esta barrera natural, obsérvese cómo se ha aprovechado la existencia de un cono enterrado entre los apilamientos basálticos del escarpe para construir un barrio circunscrito a este edificio volcánico. El carácter piroclástico del cono ha permitido este asentamiento relativamente económico, porque suaviza la pendiente y sus materiales son fácilmente excavables.

Santa Cruz, the present capital of Tenerife, is situated at the confluence of a series of ravines, as are almost all the remaining coastal towns of the island. Its development towards the north is blocked by the Anaga Massif. In its struggle against this natural barrier, a sector of the city has been built upon a volcanic cone, buried amongst the basaltic scarpments. The pyroclastic character of this cone has permitted this relatively economical settlement, since its slopes are smooth and its materials readily excavated.

Por el contrario, cuando la ciudad se extiende hacia la zona más alta de La Laguna, se sortean los conos volcánicos, que por otra parte terminarán desapareciendo al ser utilizados intensivamente como canteras para material de construcción.

On the other hand, where the city extends upwards towards La Laguna, the houses are built around the volcanic cones, which, again, tend to disappear, due to the intense use of their pyroclasts as building materials.

La falta de espacio urbano conduce a la utilización preferente de los abanicos aluviales que se abren en la terminación de los barrancos. El crecimiento rápido de una población olvida a veces esta circunstancia y se construye sobre el mismo cauce sin una canalización previa. Las consecuencias se observan en la fotografía, ya que una de las características de nuestro territorio es el encajamiento de estos barrancos que, pese a su corto recorrido, tienen una fuerte pendiente, y de ahí que sus esporádicas avenidas revistan una espectacular violencia y arrastren gran cantidad de material que depositan al atenuarse el perfil del cauce, lo cual sólo ocurre cerca de la desembocadura.

The lack of urbanized space leads to the preferential emplacement of settlements on the alluvial fans at the mouths of the ravines. Sometimes, this growth takes place without adequate planning. The consequences are evident in the photograph. One of the characteristics of our territory are these deep revines, which are not long, but have a very steep gradient. Sporadic, but torrential rains drag with them great quantities of material which settle as the gradient lessens, always near the sea.

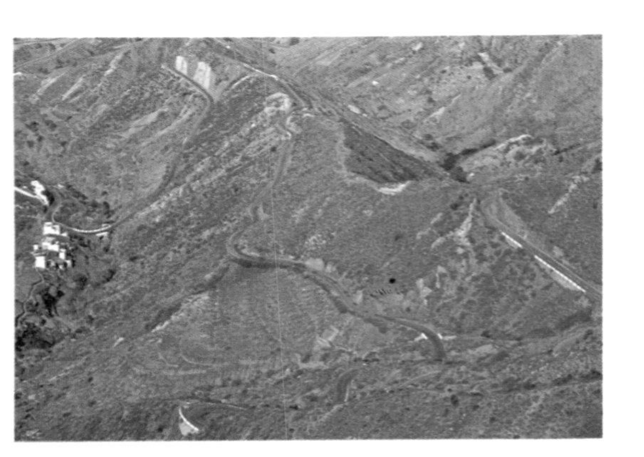

Vías de comunicación

Las vías de comunicación en Tenerife son difíciles y costosas. A las fuertes pendientes y a la encajada red de drenaje se une como factor negativo la brusca e imprevista alternancia entre materiales de muy distinta litología.

Estos hechos condicionan que muchas carreteras sean sinuosas y hagan pensar al viajero que «los kilómetros canarios son más largos». Por otra parte, este hecho fomenta el aislamiento y la aparente insolidaridad entre poblaciones relativamente próximas.

La dificultad se acentúa cuando el trazado discurre necesariamente por zonas de acantilado, donde escasean las cornisas estables y son frecuentes los desprendimientos. La periódica escorrentía de pequeños barrancos colgados basta a veces para socavar y cortar una carretera, ya que la existencia de rocas alteradas y de niveles piroclásticos fácilmente excavables provoca la inestabilidad de los taludes, que deben reforzarse artificialmente.

Methods of communication in Tenerife are difficult and costly. Steep slopes, deep ravines, brusque and unforseen alternancy between materials of different lithology are all negative factors.

This means that many of the roads are tortuous and motorists often comment that «Canary Islands kilometres are much longer».

This difficulty is accentuated where roads necessarily run along the cliffs, where stable ledges are infrequent and there is a risk of landslides. Periodic rainfall down the barrancos is often sufficient for a road to sink and give way, since alterated rocks and readily loosened pyroclasts lead to instability of the scree, which must be reinforced artificially.

Pese a la exigencia de una vía rápida de circunvalación en toda isla con volcanismo activo, sólo muy recientemente —y por otros motivos— se ha podido afrontar esta importante obra.

Así, la autopista del Sur —foto de Paisajes Españoles—, que discurre por un terreno en apariencia llano y alejado de los escarpes y cumbres de la isla, ha exigido un continuo y costoso movimiento de rocas enmascarado a veces por una ligera capa de materiales pumíticos. Esto se debe a que el trazado de la carretera se ve obstaculizado por la alternancia de relieves negativos (barrancos) y positivos (crestas alargadas paralelas a los barrancos). Tal disposición es consecuencia de un fenómeno de «inversión de relieve», correspondiendo las crestas a coladas que discurrieron por la antigua red de drenaje y que hoy resaltan por su mayor resistencia a la erosión.

In spite of the necessity of rapid highways around any island with active volcanism, this task has only recently been undertaken —for other reasons.

Thus, the motorway to the south, which crosses apparently flat countryside, far from the scarps and heights of the island, has meant a continuous and costly movement of rocks, sometimes covered by a slight layer of pumice. The plotting of a route is often hindered by alternating negative relief (barrancos) and positive, long crests parallel to these. Such a disposition is a consequence of the phenomenon termed «inversion of relief», the crests being lava flows which ran down the old network of ravines and today stand out, due to their greater resistance to erosion.

Playas

La diferencia en el color de las playas es una consecuencia de la naturaleza litológica de los materiales que forman la costa. Así, las escasas playas del norte de la isla son oscuras al estar compuestas por arenas y cantos basálticos, predominando casi siempre estos últimos, ya que las corrientes arrastran mar adentro el material fino.

Por el contrario, en el Sur abundan las rocas traquíticas y las pómez fácilmente deleznables, por lo que se forman playas de color claro, pese a que tanto Tenerife como las islas occidentales carecen de aportes eólicos procedentes del continente africano y escasean también los restos orgánicos litorales (conchas de moluscos, foraminíferos, etc.), cuyas acumulaciones a favor de corrientes marinas constituyen uno de los principales condicionantes del color dorado en las playas de las islas orientales.

Beaches

The difference in colour of the beaches is a consequence of the lithological nature of the materials which form the coast.

Thus, the few beaches in the north are dark, being composed of basaltic sands and pebbles, the latter predominanting since the finer materials are washed into the sea.

On the contrary, in the south trachytic rocks and pumice abound, so the beaches are clear in colour, in spite of the fact that Tenerife and the other westerly islands are lacking in eolian sand deposits from the African continent and there are few organic remains (sea-shells, etc.) the accumulation of which, by ocean currents, is one of the principal factors in conditioning the golden colour of the beaches in the easterly islands.

En los edificios antiguos como Teno y Anaga la costa acantilada hace difícil el acceso a las pequeñas playas ubicadas generalmente en la salida de los principales barrancos. A su vez el litoral norteño está ocupado por apilamientos de coladas relativamente recientes que no han sido todavía remodeladas y suavizadas; es decir, que no ha pasado el tiempo suficiente para que se formen playas anchas y largas.

La carencia de playas adecuadas a su clima y a la vocación turística isleña ha impulsado la adecuación de piscinas naturales en la costa, y en un caso a la transformación de una playa de cantos (Las Teresitas) en otra de arena que se trajo de Africa y cuyo arrastre por las corrientes de la zona se ha evitado con la construcción de una barra artificial.

In the old edifices, such as Teno and Anaga, the many cliffs along the coast make access to the small beaches, generally situated at the outlets of the main ravines, extremely difficult. Again, the central north coast is occupied by masses of relatively recent lava flows which have not as yet been re-modelled and smoothed; in other words, sufficient time has not yet lapsed for long, broad beaches to form.

The lack of ideal beaches for this climate and our holiday-makers has led to the conditioning of natural pools along the coast and in one case to the transformation of a pebbled beach (Las Teresitas) into one of sand, brought by ship from Africa, and where an artificial barrier prevents the sand from disappearing into the sea.

Materiales de construcción

Si bien los principales yacimientos minerales del mundo están asociados al magmatismo calcoalcalino, no ocurre lo mismo con el volcanismo alcalino, que es el que existe en las islas Canarias. De ahí que nuestros recursos minerales sean prácticamente nulos, salvo en determinados elementos raros que podrían estar concentrados en el complejo basal de Fuerteventura, como veremos al tratar de esta isla.

Sin embargo, las rocas canarias tienen una inmediata aplicación como materiales de construcción, y así han venido explotándose tradicionalmente tanto la roca masiva como los productos piroclásticos.

Las canteras de roca aprovechan preferentemente los pitones o chimeneas basálticas y traquíticas, ya que el carácter masivo de estas estructuras intrusivas presentan ventajas sobre las coladas por su localización puntual, mayor homogeneidad y carencia de escorias.

Un elemento tradicional en la construcción lo constituyen los bloques que se extraen de las canteras excavadas en potentes depósitos de nube ardiente y tobas traquíticas. Estos depósitos abundan en las vertientes meridionales del edificio central, por lo que su utilización es típica en los muros y viviendas del sur de la isla, ya que dichos materiales poseen excelentes características, como son su ligereza y facilidad de talla, además de sus propiedades aislantes, tanto térmicas como acústicas.

Algunas viviendas se han excavado en estas tobas, que algunos llaman puzolanas, pese a ser de una composición diferente a las de Puzzolli (Italia).

En la zona Norte es más frecuente el empleo de bloques más toscos, obtenidos de escorias soldadas que pertenecen a los depósitos piroclásticos englobados en las formaciones basálticas antiguas.

Building materials

Although the main ore deposits of the Earth are associated with calc-alkaline magmatism, this does not occur with the alkaline volcanism present in the Canaries. Thus, our mineral resources are practically non-existent, except for certain rare elements which may be concentrated in the basement complex of Fuerteventura.

However, the rocks of the Canary Islands have an immediate aplication as building materials and so the main rock masses, as also pyroclastic products, have traditionally been exploited for this purpose.

Rock quarries preferentially take advantage of basaltic and trachytic plugs, since the massive, intrusive character of these structures presents advantages over the lava flows as regards their easy localization, greater homogeneity and their lack of scoria.

A traditional element in construction are the blocks extracted from quarries excavated in thick deposits of glowing-cloud materials and trachytic tuffs. These deposits abound in the southern slopes of the Central

Edifice, are light in weight and readily cut to size, also acting as thermic and acustic insulators, so their use is frequent in the construction of walls and houses in the south of the island.

The reddish blocks frequently used in the north are hewn from quarries of welded basaltic scoria, which belong to the pyroclastic deposits contained in the old basaltic formations.

Actualmente los bloques para la construcción se obtienen mezclando cementos con piroclastos que se extraen de los conos de cinder.

La utilización masiva e indiscriminada de los conos para este fin puede convertirse en uno de los principales factores de la destrucción del paisaje. Los depósitos de pómez deberían protegerse igualmente en determinadas zonas —Las Cañadas (foto superior derecha)—, pese a su indudable interés económico para la fabricación de cementos puzolánicos. Algunos intentos de exportación masiva de estos materiales han sido afortunadamente frenados, ya que, de lo contrario, nos podríamos quedar sin paisaje en muy pocos años, transformando las islas en grandes canteras.

Las escorias y piroclastos (picón) generados en erupciones recientes se emplean también como firme en la pavimentación de las calles debido a sus buenas características portantes.

Muchos materiales volcánicos tienen gran interés como rocas ornamentales; éste es el caso de las ignimbritas (con textura flameada) y de algunas tobas soldadas que confieren una singularidad típica a la cantería que se utiliza en la fachada de viviendas, iglesias y edificios públicos. El mismo carácter ornamental tienen las fonolitas verdosas, que admiten un bello pulimento, y las «lajas» que se forman por la disyunción de algunas coladas según diaclasas verticales (de retracción) y horizontales (de flujo).

El régimen torrencial de los barrancos y la variedad litológica por la que discurren favorece la existencia de depósitos aluviales con escasa selección de tamaños. Estos depósitos aluviales (rellenos de barranco) son intensamente explotados para la obtención de áridos, de los que se separan las fracciones más finas (arenas), mientras que las gravas y cantos (revuelto) se emplean en la fabricación de hormigones.

Nowadays, bricks for construction purposes are obtained by mixing cement with pyroclasts extracted from cinder cones.

The massive and indiscriminate use of cinder cones for this purpose may become one of the main factors in causing destruction of the landscape. Pumice deposits should also be protected in some zones, in spite of the interesting economic factor as regards their use in the manufacture of puzzolan cement.

Scoria and lapilli, generated in recent eruptions, are also used for paving streets, due to their good qualities as highly resistant foundation materials.

Many volcanic materials are of highly decorative and ornamental interest; such is the case of the ignimbrites and of some welded tuffs which give a typical singularity to the facades of many houses, churches and public buildings. Similar ornamental qualities are found in the green phonolites, which can be beautifully polished and the «slates» which are formed by the shrinkage of some lava flows upon cooling, which causes vertical columnar joints and horizontal platy jointing, due to flow movement.

Torrential rains, flowing over the varied lithology of the ravines favour the existence of alluvial deposits with poor grain-size selection.

These alluvial deposits, having filled in the barrancos, are intensely exploited to obtain gravels from which the finer fragments (sands) are separated, while the pebbles are used in the manufacture of concrete.

Suelo agrícola

La abrupta topografía y la cobertera de erupciones recientes en las zonas bajas condicionan la escasez de suelo cultivable en Tenerife.

Las áreas agrícolas más extensas y rentables suelen ser las zonas ganadas al mar por erupciones recientes *(islas bajas)* y sobre todo los grandes valles morfológicos, como los de La Orotava (en la fotografía), Güimar, Tegueste, etc. Estos valles tienen el fondo relleno con materiales volcánicos de erupciones recientes, que configuran un plano suavemente inclinado hacia el mar, muy apto para la agricultura, que se estratifica en cultivos típicos de costa, medianías y zona alta. Un problema serio es la progresiva invasión urbana de algunas de las mejores zonas agrícolas, que puede ser irreversible si no se plantea con urgencia la ordenación del territorio.

La elevada rentabilidad de la agricultura en las zonas bajas (monocultivos de plátano y tomate) justifica la creación de suelos artificiales sobre la dura superficie de las coladas recientes.

Esta tarea de preparación del terreno se ve facilitada en las medianías (viña, patata, maíz y tabaco) y no es necesaria en la zona alta (cereales y leguminosas), ya que en ellos predominan los suelos formados por la alteración de los piroclastos que se concentran en los conos de la cordillera dorsal, donde comienza el bosque de Laurisilva y más alto el de pinos (entre los 1.400 y 2.400 metros de la vertiente Norte), sobre la cual domina ya la retama en un terreno más pobre y con climatología extrema.

La pluviosidad (el Norte es más húmedo) y la litología (basáltica en el Norte y predominio de traquitas en grandes áreas del Sur) imponen también sustanciales diferencias en la agricultura. Los suelos de origen basáltico son arcillosos, ricos en K y retienen bien el agua. Por el contrario, los suelos traquíticos son más pobres y arenosos; también están menos desarrollados al ser más recientes las erupciones y esto hace que para determinados cultivos (plataneras e invernaderos) haya que romper la «tosca» (tobas soldadas muy impermeables), colocando un «recebe» (depósito gradado de escorias y tierra) que facilita el drenaje.

Farmland

The abrupt topography and the covering of recent eruptions in the low zones condition the scarcity of arable soil in Tenerife.

The most extensive and productive tracts of arable land are generally those zones gained from the sea by recent eruptions and, above all, the large valleys, such as those of La Orotava (in the picture), Güimar, Tegueste, etc. The beds of these valleys are filled with volcanic materials from recent eruptions, with a gentle slope towards the sea which is readily cultivated —normally in terraces, with different crops for the coastline, middle zones and highlands.

The highly profitable agriculture in the low zones (banana and tomato) justifies the creation of artificial soil upon the rough surface of recent «malpaises».

The task of preparing the soil is easier in the middle zones (grapevines, potatoes, maize and tabacco). It is totally unnecessary in the highlands (cereals and root vegetables), since here those soils which predominate are formed by the alteration of pyroclasts concentrated in the cones of the Dorsal Ridge. The Laurisilva forests begin here and higher again, the pine forests, between 1.400 and 2.400 metres on the northern slopes, above which altitude only gorse-bushes predominate, in the poorer soil and extrem climate.

Rainfall (the north fares better) and the lithology (basaltic in the north and predominantly trachiitic in vast areas of the south) impose substantial differences in agriculture. Soils of basaltic origin are clayey, rich in K and retain water well. Trachytic soils, on the other hand, are poorer and more sandy; they are also less developed, being of more recent eruptions and this means that for some types of cultivation (banana plantations and greenhouses) the very impervious, welded tuffs must be broken up, then covered with a bed of alternating scoria and earth, to facilitate drainage.

Valle de Güimar.

Isla Baja de Buenavista, Teno.

La elevada densidad de población y la tradición agrícola de la isla ha originado un intenso aprovechamiento del suelo. Son frecuentes los cultivos en conos de cinder, en piedemontes aterrazadas (abancalados) e incluso en depósitos aluviales (rellenos de barranco), ricos en limo y materia orgánica arrastrada de crestas y laderas.

The high density of population and the agricultural tradition of the island has led to a very intense cultivation of the soil. Cinder cones are frequently used, as are terraced piedmonts and even the ravines where filled with alluvial sediments, rich in organic material carried down from the hilltops.

Allí donde la superficie del terreno no reúne condiciones adecuadas (malpaises, coladas recientes, mantos ignimbríticos o de nube ardiente, etc.) se prepara el terreno rompiendo la roca viva y recubriéndolo con tierras, transportadas a veces desde puntos muy alejados. En algunos casos también se extiende una capa de pómez (jable) cuya porosidad y carácter refractario preservan la humedad del suelo. Obsérvese a la derecha el máximo aprovechamiento del terreno por estos procedimientos.

Wherever the surface of the terrain is inadecuate for cultivation (malpaises, recent lava flows, layers of glowing-cloud, deposits or ignimbrites, etc.) the ground is prepared by breaking up the rock and covering it with soil, often transported over considerable distances. In some cases, a layer of pumice is extended, since its porosity and refractory character preserves the humidity of the soil. In the lower photograph, terraces in the steep southern slopes of the Island.

El agua

El agua es uno de los recursos que más afecta a la habitabilidad y al desarrollo en Canarias. Contrariamente a una creencia bastante extendida, el agua no «nace» ni procede de corrientes o «vetas» subterráneas de origen profundo o lejano a las islas. Toda el agua que se utiliza en Tenerife procede de las precipitaciones de lluvia o nieve. Del total de agua de precipitación que cae sobre la isla se pierde por evaporación y escorrentía superficial la mayor parte (~ 72 %). El resto se infiltra en el terreno y forma las reservas de agua subterránea que luego se captarán por medio de pozos y galerías.

El agua subterránea fluye de forma lenta, pero continua hacia el mar, donde se mezcla con el agua salada y se pierde. A partir de cierta profundidad todos los huecos del terreno están llenos de agua. La superficie de separación del terreno saturado en agua del no saturado es el nivel freático o superficie piezométrica y limita el «acuífero único» que constituyen las aguas subterráneas de Tenerife; es decir, ninguna de estas aguas están separadas del resto, sino que todas se comunican; cualquier pozo o galería de la isla afecta de forma más o menos inmediata a las demás, por lo que en situaciones deficitarias como la actual se impone un control comunitario de este recurso vital.

Water

Water is one of the resources which most affect living conditions and economic development in the Canaries. Contrary to a wide-spread belief, the water does neither «spring» nor come from underground currents or veins which originate at a great distance from or below the island. All the water which is used in Tenerife is the product of rain and snow falls. Of all the rain water which falls upon the island, the greater part (~ 72 %) is lost in evaporation or runoffs. The rest soaks into the terrain to form underground reservoirs which can later be put to use by means of wells.

Groundwater flows continually towards the sea where it mingles with salt water and is lost. As from a certain depth all the cavities in the terrain are full of water. The separating layer between the water-saturated terrain and that which is non-saturated is the «phreatic level» or «piezometric surface» and limits the unique aquifer which constitutes Tenerife's groundwater: this means that no part of these waters is separated from the rest as they all communicate; every well or gallery on the island affects the others directly or indirectly, for which reason in defective situations as at present, there is the need for communal control of this vital resource.

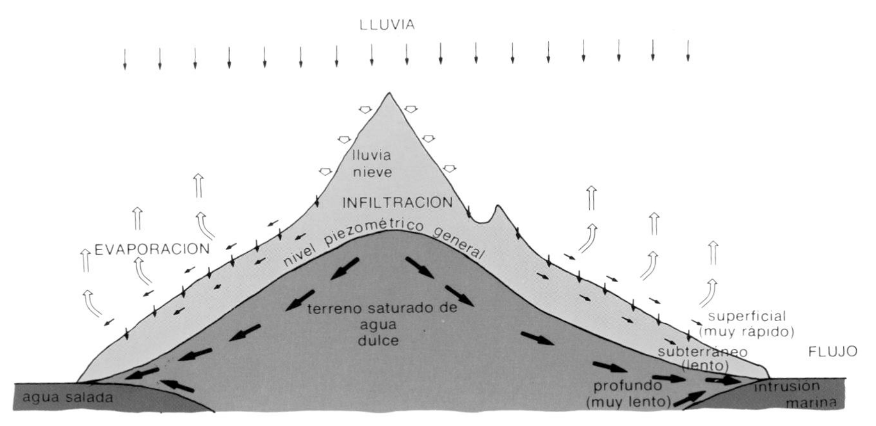

La acción beneficiosa de los vientos alisios que aportan lluvias (unos 450 mm/año), especialmente en las laderas al norte de la isla, impiden que Tenerife sea un auténtico desierto. En efecto, estas corrientes de aire (ver fotografía de la cubierta), al encontrarse con el fuerte relieve de la isla, deben remontarlo, enfriándose durante el ascenso. A cierta altura (entre 1.500 y 1.800 metros) se condensa el vapor de agua, quedando retenido por la barrera natural y formándose el «mar de nubes» sobre el cual el clima vuelve a ser seco y la luminosidad extraordinaria.

The favourable activity of the trade winds which bring rain (about 450 mm/year) mostly to the northern slopes of the island, prevents Tenerife from being an authentic desert. These air currents (see cover photograph) on encountering the island's steep outline, rise, cooling during their ascent. At a certain height (between 1.500 and 1.800 metres) the water vapour condenses when retained by the natural mountain barrier, so forming the «sea of clouds» above which the climate is dry again and the illumination brilliant.

En las zonas más altas de la isla suele haber en invierno precipitaciones en forma de nieve. A diferencia de las aguas de lluvia, que se pierden en gran parte por escorrentía superficial, la nieve, al fundirse lentamente, pasa casi en su totalidad a engrosar el volumen de aguas subterráneas de la isla.

Comprender la geología y la historia volcánica de la isla es imprescindible para conocer el volumen y distribución de sus reservas de agua subterránea.

Los cambios que se producen en la porosidad y permeabilidad de los materiales en su evolución geológica hacen que productos originalmente porosos (lapillis, escorias, etc.) pasen a ser con el tiempo impermeables. Procesos de alteración a arcillas, compactación, relleno de huecos, etc., contribuyen a estos cambios.

On the higher zones of the island snow usually falls in winter. Unlike rainfall, which is wasted due to superficial runoff, snow melts slowly and seeps down to increase the volume of the island's groundwater.

Before studying the volume and distribution of the island's underground reservoir it is necessary to know more about its geology and volcanic history.

The changes which are produced in the porosity and permeability of the materials during their geological evolution can eventually convert originally porous products (such as lapilli, scoria, etc.) into impermeable rock. The process of alteration, compaction, filling of cavities, etc., contribute to these changes.

Es muy ilustrativa la relación —muy simplificada en el esquema— que existe entre la evolución geológica del edificio central (de donde procede la gran mayoría del agua utilizada en la isla) y el volumen y distribución de las reservas de agua subterránea.

Hace unos cinco millones de años la parte central de la isla estaba formada por materiales basálticos, entonces muy porosos en su conjunto (1). De los cinco millones de años a los tres millones de años aproximadamente se produce una calma en la actividad efusiva en este edificio central, siendo muy activa la erosión, que acaba por desmontar la parte superior del edificio. Los materiales (basaltos antiguos) restantes son ahora poco permeables (2).

Sobre la superficie de erosión resultante se depositan los materiales procedentes de las fases explosivas con que se reinicia la actividad volcánica de este edificio hace poco más de dos millones de años (3).

Sobre estas brechas de explosión se apilan todos los materiales sálicos y básicos posteriores que permanecen hasta hoy permeables en conjunto (4).

Las brechas de explosión, sin embargo, se han hecho muy impermeables y se origina así la disposición final existente hoy día, muy favorable para la acumulación de agua en el subsuelo: materiales porosos y permeables correspondientes al último ciclo de actividad volcánica del edificio central, sobre un sustrato impermeable formado por las brechas de explosión y los basaltos antiguos correspondientes al ciclo anterior.

La red de diques ayuda a retener el agua infiltrada (5) y ésta se extrae por medio de galerías (6).

It is significant to note the relationship which exists between the geological evolution of the Central Edifice (whence most of the island's water comes) and the quantity and distribution of the water reserves.

About 5 million years ago the central part of the island was composed of basaltic type rocks, at that time very porous on the whole (1). From 5 million till about 3 million years ago the effusive activity of the Central Edifice calmed down, giving way to great erosion which eventually destroyed the upper part of the edifice. The remaining materials (Old Basalt) are nowadays impermeable (2).

On top of the consequent erosion area, were then deposited the materials from the explosive phase which marked the renewal of volcanic activity in this Edifice a little over 2 million years ago (3).

Upon these explosive agglomerates, all subsequent salic and basic materials accumulated and remain generally permeable to this day.

The explosive agglomerates, however, have remained most impermeable thus forming the distribution existing today and which is highly propitious for the accumulation of underground water: Porous, permeable materials pertaining to the last cycle of volcanic activity in the Central Edifice, above an impermeable substratum composed of explosive agglomerates and old basalt pertaining to the previous cycle.

The network of dikes helps to retain the lateral infiltration of water (5) which is extracted by means of galleries (6).

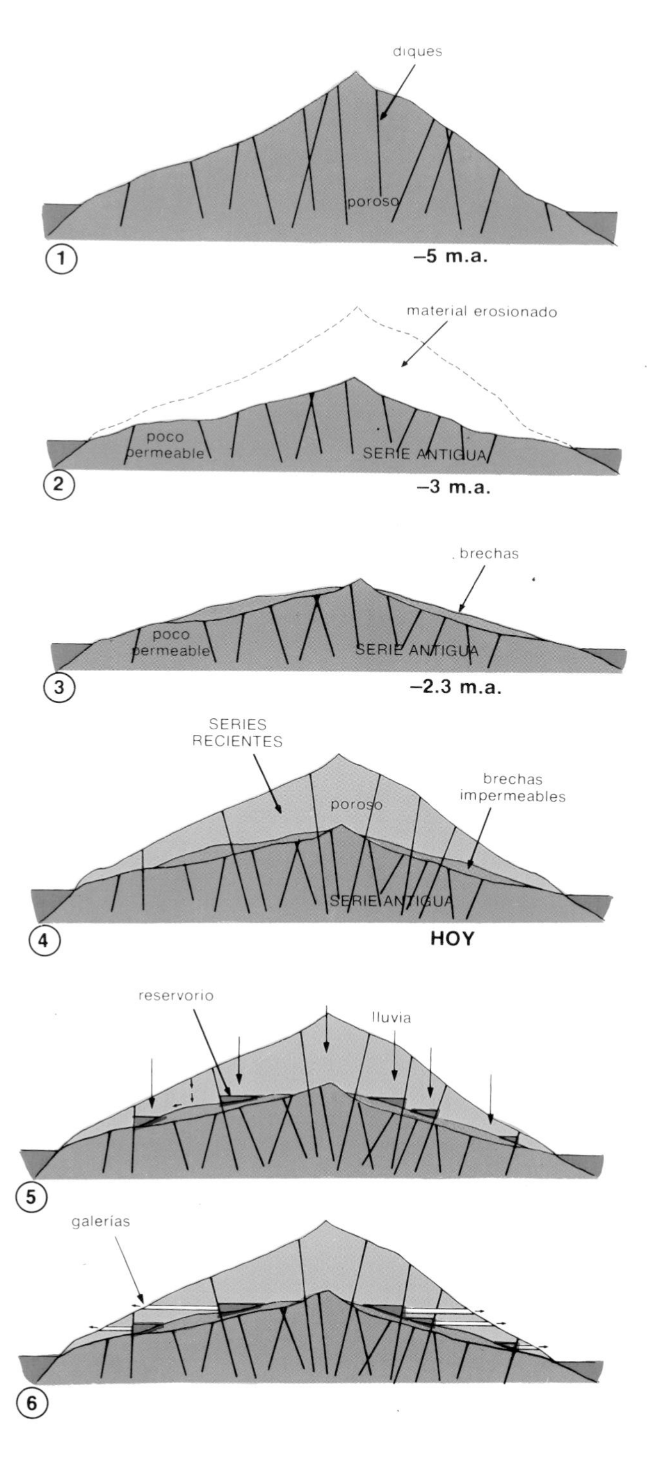
diques
poroso
1
–5 m.a.
material erosionado
poco
permeable
SERIE ANTIGUA
2
–3 m.a.
brechas
poco
permeable
SERIE ANTIGUA
3
–2.3 m.a.
SERIES
RECIENTES
poroso
brechas
impermeables
SERIE ANTIGUA
4
HOY
reservorio
lluvia
5
galerías
6

Antes de que el agua subterránea, en su flujo constante, se pierda en el mar, puede captarse mediante obras adecuadas. En Tenerife, como el nivel freático está a una profundidad excesiva (unos 500 metros), la captación del agua subterránea se hace principalmente por medio de galerías. Existen en la isla cerca de 1.000 galerías que totalizan más de 1.300 kilómetros de longitud. Las galerías son túneles de sección reducida (1,80 × 1,80 metros generalmente) y ligera pendiente hacia la entrada (5-10 por 100). Su longitud es considerable, llegando en ocasiones a sobrepasar los cinco kilómetros, aunque el término medio de las actualmente productivas sea de tres kilómetros. El descenso del nivel freático general de la isla obliga a la continua reperforación de estas galerías, que deben aumentar su longitud una media de 70 metros por año para mantener el caudal.

El agua se va recogiendo en un canal colector, ya que los caudales alumbrados no suelen estar muy localizados, sino que el caudal total de la galería es la suma de aportes parciales obtenidos a lo largo de su recorrido. Estos aportes surgen al cortarse formaciones impermeables, como almagres, diques y coladas sin fisurar, etc., aunque las situaciones pueden ser muy diversas. También es frecuente la realización de «catas» adicionales con objeto de incrementar el caudal de la galería.

Uno de los mayores problemas que se encuentran en este tipo de excavaciones es la aparición de gases y «calor» (anomalías térmicas). Estas dos circunstancias suelen aparecer unidas, hacen irrespirable la atmósfera en el interior de la galería y muy incómodo el trabajo en las mismas a causa de las elevadas temperaturas, obligando frecuentemente a la instalación de costo-

Before the groundwater with its constant flow is lost in the sea, it can be retained if adequate measures are taken. In Tenerife, as the phreatic level is at a great depth (about 500 metres), groundwater is obtained mainly by means of galleries. On the island there are nearly 1.000 galleries with a total length of over 1.300 kilometres. The galleries are tunnels of small proportions (generally 1.80 × 1.80 metres) with a slight dip towards the entrance (5-10 %). Their length is considerable, at times reaching beyond 5 kilometres although the average is about 3 kilometres. The general descent of the phreatic level of the island makes it necessary to continue reperforating these galleries which must increase an average of 70 metres per year in length in order to maintain their flow.

The water is run into a collection channel as the outflows come from different points and the total flow of the gallery is the sum of partial collections obtained all along its course. These contributions issue forth when an impermeable formation such as «almagres», dikes and infractured lava flows are perforated, although the situations can be most diverse. Additional «catas» or boreholes are also made for the purpose of increasing the flow of the gallery.

One of the greatest problems encountered in this type of excavation is the emanation of gases and heat (thermal anomalies). These two circumstances usually come together making the atmosphere in the interior of the gallery unbreatheable and working conditions intolerable on account of the high temperatures. The installation of expensive ventilation systems is frequently indispensable.

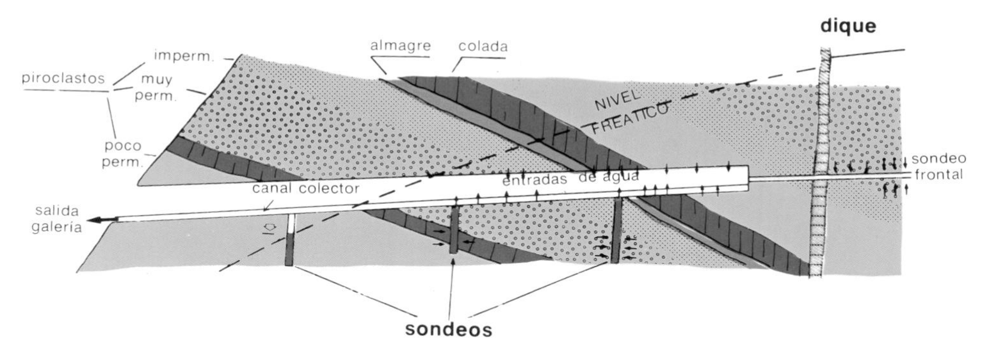

sos sistemas de ventilación. Otro problema en algunas galerías es la falta de oxígeno, ya que parte de este elemento contenido en el agua subterránea se pierde en la oxidación de las rocas, y el agua empobrecida, apenas surge en la galería, retoma el oxígeno del aire.

En la fotografía se muestra la boca de una de las galerías que mayor caudal tienen actualmente (1.400 pipas/hora). La «pipa» es la unidad más usada en la isla para medir volumen de aguas y equivale a 480 litros.

Esporádicamente, las precipitaciones torrenciales hacen correr los barrancos, de otra forma secos durante todo el año. Esta enorme cantidad de agua se pierde en el mar por falta de obras adecuadas de embalse y retención, contribuyendo muy activamente a la erosión del terreno.

The photograph shows the mouth of the gallery which, at present has the greatest flow (185 litres/second or about 1.400 «pipas» per hour).

Sporadically, torrential rains fill the ravines, usually dry all the year round. This vast amount of water is lost into the sea for lack of adequate dams and retention construction and greatly contributes also to soil erosion.

La construcción de grandes presas, a imitación de las que se realizan en otros ambientes no volcánicos, trata de cubrir dos objetivos fundamentales. Por una parte, embalsar en lo posible parte de ese 15 por 100 de escorrentía que se pierde en el mar, y por otra, *regular* el aporte de agua de las galerías, embalsando el exceso de agua producida durante los meses de invierno, al adecuar las disponibilidades a la demanda «pico» del verano.

Sin embargo, existen varios factores que dificultan e incluso impiden la construcción de estas grandes presas en condiciones rentables. La escasez de vasos con un volumen útil aceptable, la elevada permeabilidad del terreno, la gran capacidad de arrastre de las avenidas, que tienden a colmatar rápidamente las presas, y, sobre todo, la inexistencia de cursos de agua (ríos), por lo que estas presas deben mantener el agua durante largos períodos.

La evaluación de la infiltración anual (recarga) frente a las extracciones permite obtener el balance hidráulico de la isla. En el esquema, realizado por zonas por el SPA 15, y válido para 1973, se delimitan las zonas en que las extracciones están en equilibrio con la recarga, y aquellas en que predominan las extracciones (balance negativo) o la recarga (balance positivo).

Las galerías significativas de Tenerife (caudal de 10 l/seg o más) son pocas (unas 150) y están en su mayoría relacionadas con el edificio central. Estas galerías no suelen mantener el caudal inicial indefinidamente, sino que éste desciende más o menos lentamente hasta su agotamiento total. El aumento continuo de su longitud permite a veces mantener por más tiempo estos caudales hasta encontrar un límite físico o de rentabilidad en que el proceso de agotamiento es irreversible.

The building of large dams similar to those constructed in non-volcanic terrains, tries to fulfil two main purposes. The first to collect as much as possible of the 15 % runoff which is lost to the sea and secondly to regulate the amount of water obtained from the galleries by storing the excess water lost during the winter.

Nevertheless there are several factors which render difficult or impossible the construction of these large dams at a normal cost such as the lack of watertight basins of worthwhile capacity, the high permeability of the terrain, the dragging force of the flood that soon clogs the dams and above all the non-existence of rivers.

The evaluation of the yearly filtration (refill) opposed to the extraction permits the obtention of the island's hydraulic balance. In the plan of zones obtained by SPA-15 and valid for 1973, one can observe the zones in which the extractions balance the refill; those in which the extractions predominate (negative balance) and those of refill (positive balance).

The galleries worthy of consideration in Tenerife (flow of 10 litres/second or more) are few (about 150) and are mostly connected with the Central Edifice. These galleries do not usually maintain their original flow indefinitely, as this descends more or less slowly until reaching its complete extinction. The continual boring to increase its length sometimes allows the flow to continue for a longer period until a physical or economic limit is reached and the process of exhaustion is irreversible.

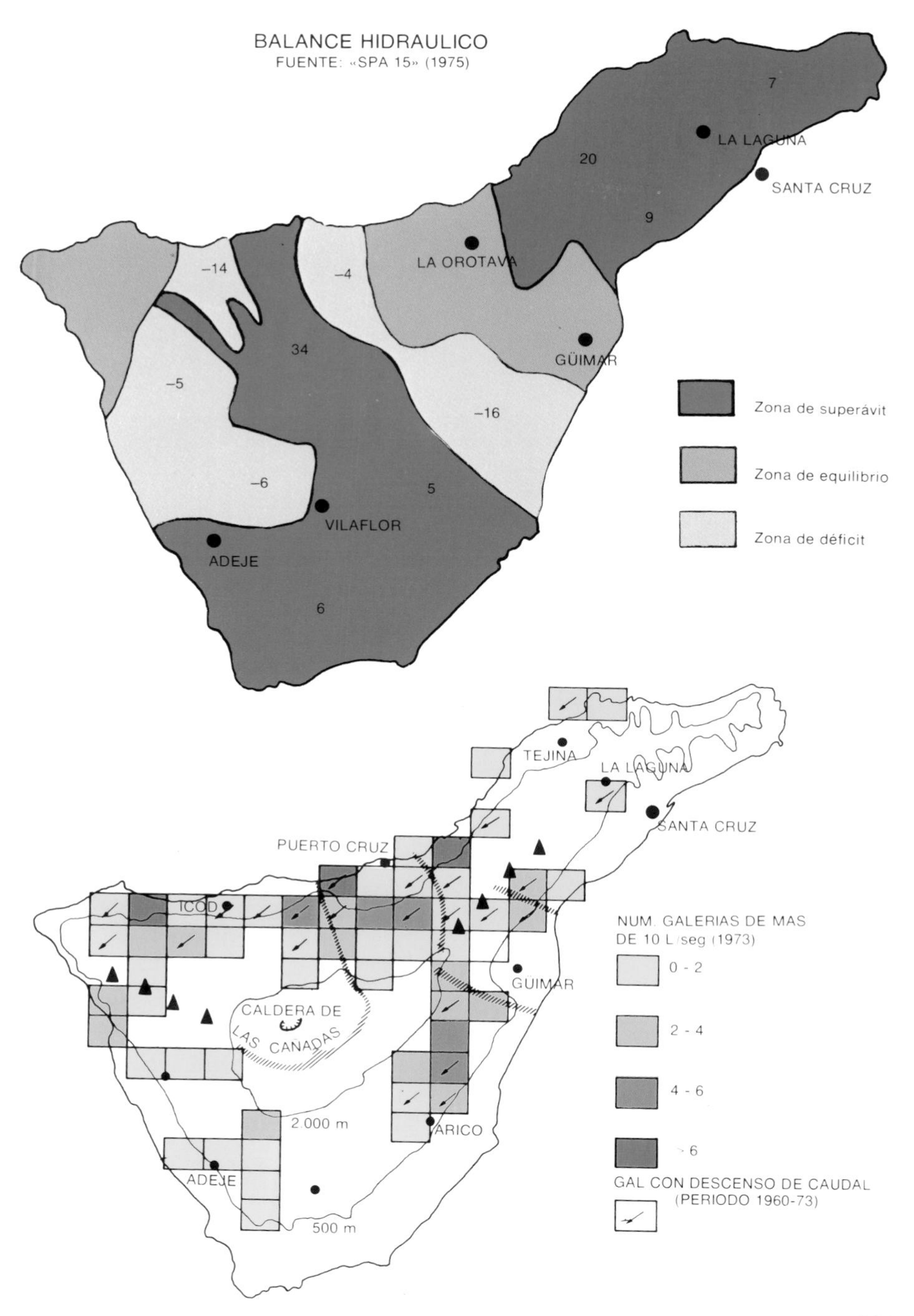
BALANCE HIDRAULICO
FUENTE: «SPA 15» (1975)
7
LA LAGUNA
20
SANTA CRUZ
9
LA OROTAVA
-14
-4
34
GÜIMAR
-5
-16
-6
5
VILAFLOR
ADEJE
6
Zona de superávit
Zona de equilibrio
Zona de déficit
TEJINA
LA LAGUNA
SANTA CRUZ
PUERTO CRUZ
ICOD
NUM. GALERIAS DE MAS
DE 10 L/seg (1973)
0 - 2
GÜIMAR
CALDERA DE
LAS CAÑADAS
2 - 4
4 - 6
2.000 m
ARICO
6
ADEJE
GAL CON DESCENSO DE CAUDAL
(PERIODO 1960-73)
500 m

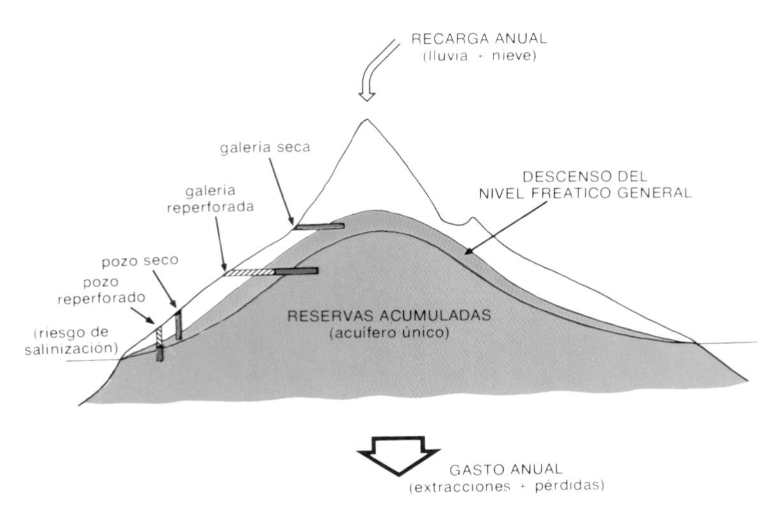

Si bien la producción de agua supera en la actualidad a la demanda, esto se consigue a costa del descenso continuo de las reservas de agua subterránea de la isla, acumuladas durante muchos años.

Desde comienzos de siglo, el nivel freático general ha descendido 150 metros y su ritmo actual de descenso es de unos 5 metros al año. Según los datos del SPA 15, si este ritmo de extracciones se mantiene, sólo podrá hacerse durante algunos años y a costa de un continuo y total agotamiento de estas reservas. Este problema es mucho más acusado en Gran Canaria, por lo que al tratar de dicha isla ampliaremos el tema.

Los bosques

El paisaje volcánico de Tenerife se complementa con zonas de bosque, que, aparte de su rentable explotación, evitan la erosión y contribuyen en buena medida a la infiltración de agua en el subsuelo.

Although at present water production in this island exceeds demand, this is made possible at the expense of continual usage of the island's groundwater reserves, accumulated over many years, since extraction exceeds «anual refill».

According to SPA-15 data, since the beginning of the century the general phreatic level has descended 150 metres and its present rhythm of descent is at least 5 metres per year. If the extractions continue to this extent they may only proceed for a few more years until total depletion of the insular aquifer is reached. Water resources depletion is specially acute in the island of Gran Canaria in which book this problem will be looked upon in detail.

The volcanic landscape of Tenerife is complemented by forest zones which, apart from their financial exploitation, prevent erosion and greatly contribute to the infiltration of water into the subsoil.

En la fotografía se ve cómo en un día sin lluvia el terreno bajo un árbol está totalmente empapado de agua. La importancia del volumen de agua aportado al subsuelo por las zonas de bosque es, por sí sola, razón suficiente para la protección y extensión de los bosques que actualmente se concentran en las crestas de Anaga y Teno (Laurisilva) y en la Dorsal y alrededores del edificio central (Pinares).

In the photograph one can observe how on a dry day the terrain under the tree is completely drenched with water. The important quantity of water contributed to the subsoil by forest zones is, in itself, sufficient reason for protecting and extending the forests which at present are concentrated on the peaks of Anaga and Teno (Laurisilva) on the Dorsal Ridge, and around the Central Edifice (Pines).

Patrimonio cultural y medio ambiente

Con la creación del Parque Nacional de Las Cañadas se ha pretendido resaltar y proteger una zona en la que el paisaje volcánico se muestra con espectacular grandiosidad y belleza; sin embargo, existen otros puntos en la isla que merecen igual atención. Un ejemplo sería el de los conos correspondientes a erupciones históricas, como el de Güimar, que aparece en la fotografía inferior; debemos comprender que estas pequeñas montañas pertenecen a la historia de la isla y constituyen, por tanto, una parte importante del patrimonio cultural canario.

En otros casos, determinados edificios volcánicos están asociados a la literatura científica y no parece lógico que los tres volcanes del Puerto de la Cruz, en los que Humboldt cifraba la singular belleza del Valle de La Orotava, aparezcan hoy destruidos o coronados por modernas edificaciones.

Las zonas de interés se multiplican si tenemos en cuenta los valores culturales y científicos que encierran numerosas localidades y afloramientos que son ejemplares típicos, a veces únicos, de formas y estructuras volcánicas y que podemos encontrar a lo largo de nuestras carreteras, asociados a otros magníficos ejemplares de flora y vegetación que configuran un ambiente ecológico de valor incalculable. La creación de Reservas Ecológicas Educativas (REE), previstas en la colaboración INCIE-ICONA, tendrán, sin duda, una gran incidencia en el acercamiento a la Naturaleza de las nuevas generaciones.

Algunos organismos están realizando un auténtico esfuerzo en la protección de la naturaleza y en su revalorización cultural y educativa. Un notable paso en este sentido es el Centro de Interpretación de ICONA en los accesos al Parque Nacional de Las Cañadas, así como los itinerarios y paneles que sus técnicos han preparado en varias zonas de singular interés.

The protection of a volcanic terrain of spectacular beauty has been undertaken by creating a National Park in Las Cañadas. Nevertheless, there are many other spots in the island, deserving of equal attention. One example are the cones corresponding to historic eruptions, such as this of Güimar, in the photograph below; it must be understood that these small mountains are part of the cultural heritage of the Canaries.

In other cases, certain volcanic edifices are associated with scientific literature and it does not seem logical that the volcanoes of Puerto de la Cruz, in which Humboldt centred the singular beauty of the Valley of La Orotava should today be crowned by modern constructions.

The zones of interest are multiple if we take into account the cultural and scientific values of many localities and outcrops which are typical examples, even unique at times, of volcanic forms and structures, to be found along the roads, together with magnificent examples of the flora which constitute an ecological environment of incalculable value.

Some Institutions are making a great effort to protect nature and to revalue its cultural and educative function. A remarkable attempt in this sense is the ICONA Center in Las Cañadas National Park, as well as the itineraries and panels created by its technicians.

Queremos, por último, insistir en que el planteamiento ecológico de Canarias tiene que ocuparse en primer lugar de sus habitantes, cuyos graves problemas corren el riesgo de quedar ocultos tras la fachada de una maravilla natural y el tópico de unas «Islas Afortunadas».

Finally, we wish once again to point out that ecological planning must first of all concern itself with the inhabitants whose critical problems run the risk of remaining hidden behind the facade of a marvel of nature and the topic of the «Fortunate Isles».

Itinerarios

Aunque una guía detallada de los posibles itinerarios de interés volcanológico será objeto de otro volumen, queremos aquí enunciar tres excursiones en las cuales pueden observarse casi todos los aspectos que hemos tratado anteriormente.

1. Santa Cruz-San Andrés-Bailadero-Pistas de Anaga-Las Mercedes-Bajamar-Valle Guerra-La Laguna.
   Todo el recorrido discurre o bordea el edificio Anaga; pueden observarse los apilamientos de coladas basálticas antiguas, generalmente alteradas, intercalados con almagres y niveles piroclásticos a veces muy potentes cuando corresponden a conos enterrados. Numerosos diques cortan esta formación y en algunos puntos destacan los pitones traquíticos claros —alguno rico en enclaves— que alimentaron las planchas de igual composición que coronan las crestas de Anaga.
   La intensa erosión se manifiesta en la amplia cabecera de los barrancos, los potentes derrubios de ladera sobre Almaciga, Benijos, etc., y Mesas como la de Tejina, flanqueada por el amplio valle de Tegueste. Puede verse también el terreno ganado al mar por la colada reciente de la Punta del Hidalgo y la isla baja en la que termina el suave plano inclinado de Valle Guerra.

Itineraries

Although a detailed guide of possible itineraries of volcanological interest will be the subject of another book, three excursions will be suggested here, during which almost all the aspects mentioned throughout this book can be observed.

1. *Santa Cruz-San Andrés-Bailadero-Pistas de Anaga-Las Mercedes-Bajamar-Valle Guerra-La Laguna.*
   This itinerary borders the Anaga edifice; pile-ups of old, basaltic flows, generally altered, intercalated with baked contacts and pyroclastic layers —very thick at times when corresponding to buried volcanic cones— can be observed. Numerous dikes cut across this formation and in some places light trachytic plugs stand out —some of them rich in xenoliths— which fed the flows of the same composition crowning the crests of Anaga.
   Intense erosion is manifested by the wide heads of the ravines, the thick piedmonts above Almaciga, Benijos, mesas, such as those of Tejina, bordered by the wide valley of Tegueste, etc. The land regained from the sea by the recent flow of the Punta del Hidalgo, can be seen, as also the «isla baja» which terminates the smooth, inclined plain of Valle Guerra.

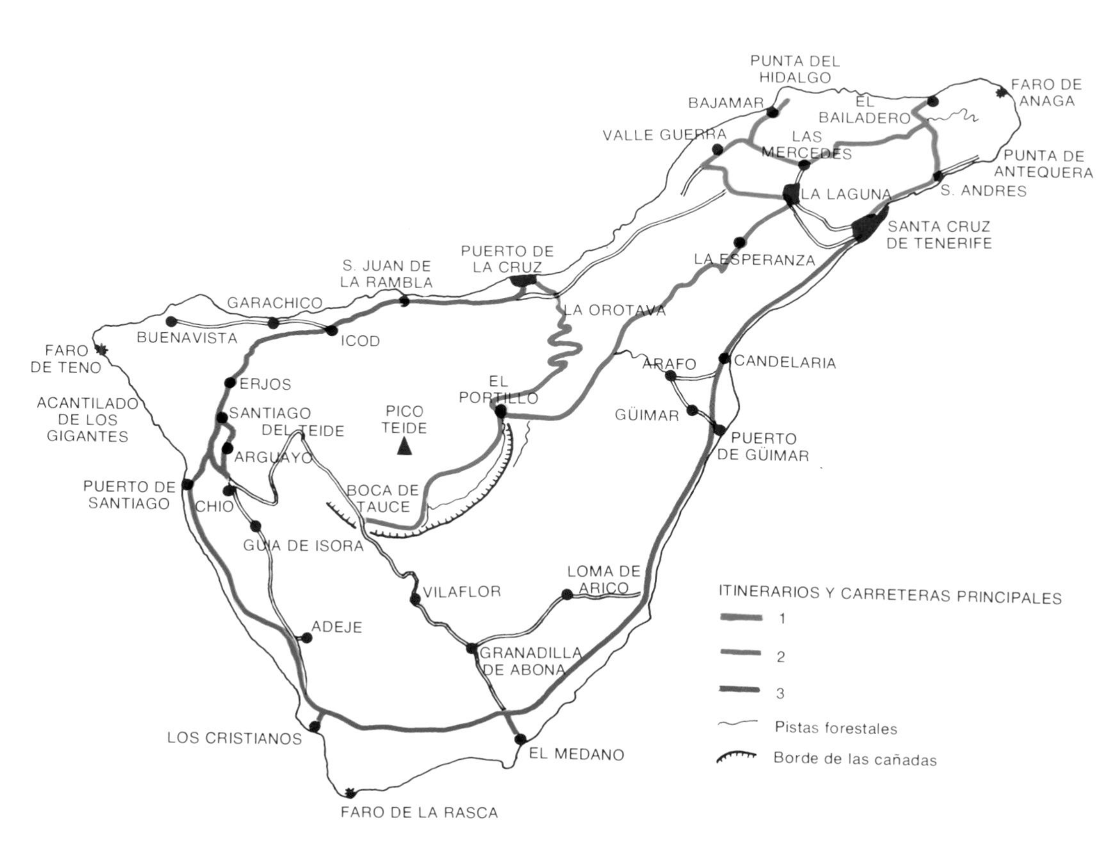
PUNTA DEL
HIDALGO
FARO DE
ANAGA
BAJAMAR
EL
BAILADERO
VALLE GUERRA
LAS
MERCEDES
PUNTA DE
ANTEQUERA
LA LAGUNA
S. ANDRES
SANTA CRUZ
DE TENERIFE
PUERTO DE
LA CRUZ
S. JUAN DE
LA RAMBLA
LA ESPERANZA
GARACHICO
LA OROTAVA
BUENAVISTA
ICOD
FARO
DE TENO
ARAFO
CANDELARIA
ERJOS
EL
PORTILLO
ACANTILADO
DE LOS
GIGANTES
SANTIAGO
DEL TEIDE
PICO
TEIDE
GÜIMAR
PUERTO
DE GÜIMAR
ARGUAYO
PUERTO DE
SANTIAGO
CHIO
BOCA DE
TAUCE
GUIA DE ISORA
LOMA DE
ARICO
VILAFLOR
ITINERARIOS Y CARRETERAS PRINCIPALES
1
2
3
Pistas forestales
Borde de las cañadas
ADEJE
GRANADILLA
DE ABONA
LOS CRISTIANOS
EL MEDANO
FARO DE LA RASCA

2. La Laguna-La Esperanza-El Portillo-Las Cañadas-La Orotava-Puerto de la Cruz.
   Inicialmente se cruza el campo de volcanes, ya muy meteorizados, que forman las estribaciones de la dorsal; en ésta observamos algún cono más reciente con el picón oscuro bien conservado. Interesa detenerse a contemplar los valles intercolinares de Güimar y La Orotava, a un lado y otro de la cresta, en cuyas vertientes se aprecian tramos muy inyectados por diques. También es interesante la vista sobre el volcán histórico de Güimar y pueden realizarse estaciones para analizar en detalle la estructura de algunos diques, así como la disyunción en bolas y lajas en coladas y pitones.
   Se cruzan también los depósitos piroclásticos alternantes (claros y oscuros) procedentes de erupciones simultáneas sálicas y básicas. Antes de llegar al Portillo conviene desviarse a la izquierda para asomarse a las Cañadas desde lo alto de su pared meridional; en esta zona abundan las bombas en conos escoriáceos recientes y fragmentos de rocas plutónicas pertenecientes a una brecha explosiva. Una vez en el interior del Circo son numerosas las posibles estaciones en los depósitos pumíticos de Montaña Blanca, coladas en bloques, rocas obsidiánicas, Roques de García, Los Azulejos, Llano de Ucanca, etc., hasta llegar a Boca de Tauce, donde encontramos el malpais de lavas negras procedentes de las Narices del Teide, cuya erupción ocurrió en el año 1736.
   Por supuesto que la zona central de la isla requeriría el complemento de un itinerario que siguiera el pie de la pared de Las Cañadas y el ascenso al Pico Teide y Pico Viejo.
3. Puerto Cruz-Icod-Erjos-Santiago del Teide-Los Cristianos-Güimar-Santa Cruz.
   La primera parte de esta excursión permite observar las características de las vertientes y costas del norte de la isla, con el claro contraste entre los materiales basálticos más antiguos y los procedentes del edificio Teide-Pico Viejo, mucho mejor conservados. Alcanzando Erjos se bordea el Macizo de Teno, que cerró también el paso a los materiales del edificio central, cubiertos ahora por los del Teide-Pico Viejo.
   Una vez en la costa Sur se observa el brusco tránsito del acantilado de los Gigantes, en el edificio antiguo de Teno, a las suaves pendientes que bajan de la zona central, interrumpidas tan sólo por los restos de otro edificio antiguo en Adeje. Cerca de Los Cristianos merece la pena detenerse en el maar conocido por «La Caldera» y en el volcán de Guaza, así como en los depósitos de nube ardiente que volveremos a encontrar en el valle de Güimar. El resto del itinerario puede completarse con estaciones en edificios cónicos y lavas recientes y en depósitos ignimbríticos procedentes de Las Cañadas.

2. *La Laguna-La Esperanza-El Portillo-Las Cañadas-La Orotava-Puerto de la Cruz.*
The initial part of this itinerary crosses a cluster of very meteorized volcanoes, which form the spurs of the Dorsal Ridge; in the Dorsal itself can be observed some more recent cones, with well preserved, dark lapilli. It is interesting to stop and contemplate the valleys of Güimar and La Orotava, on either side of the crest and down which slopes many intruding dikes can be observed. The view of the historic volcano of Güimar is also recommended and stops can be made to analyze the structure of some of the dikes, as also spheroidal and platy jointing in flows and plugs.
The route also crosses alternating light and dark pyroclastic deposits, products of simultaneous salic and basic eruptions. Before reaching El Portillo, turning to the left for a short distance will afford a view of Las Cañadas from the topmost part of the south wall; in this zone volcanic bombs abound in recent, cinder cones and fragments of plutonic rocks belonging to an explosive breccia. Once inside the Cirque of Las Cañadas, there are many interesting stops at, for example, the pumice deposits of Montaña Blanca, impressive «block» lava flows, obsidianic rocks, Roques de García, Los Azulejos, Llanos de Ucanca, etc. until reaching the trachytic plugs of the Boca de Tauce and the beginning of the «malpais» of black lavas from the Noses of Teide, which eruption occurred in 1736.
Of course, the central zone of the island would require a complementary itinerary which would follow the foothills of the wall of Las Cañadas and include the ascent to the Peak of Teide.
3. *Puerto de la Cruz-Icod-Erjos-Santiago del Teide-Los Cristianos-Güimar-Santa Cruz.*
The first part of this route permits the observation of the slopes and coasts of the north of the island, with the clear contrast between the older basaltic materials and the much better preserved materials proceeding from the Teide-Pico Viejo edifice. Having reached Erjos, the route borders the Teno edifice which blocked the path of the materials of the Central Edifice, now covered with those of the Teide-Pico Viejo.
Upon arriving at the south coast, the abrupt change is noted between the high cliffs of Los Gigantes, in the old edifice of Teno and the smooth slopes which descend from the central zone, only interrupted by the remains of yet another old edifice in Adeje. Near Los Cristianos, a worthwhile stop is the «maar» known as La Caldera, another at the volcano of Guaza, and its deposits of nuée ardente which are also to be found again in the Valley of Güimar. The rest of the itinerary may be completed by studying volcanic cones, recent lava flows and ignimbritic deposits from Las Cañadas.

APENDICE

En lugar del clásico índice alfabético de términos, nos parece más adecuado presentar la siguiente tabla, en la que se resume de forma esquemática el plan de la obra. En dicha tabla puede observarse cómo el criterio seguido para describir el volcanismo del archipiélago se basa en las notables peculiaridades de cada isla, si bien en todas ellas se repiten lógicamente una serie de elementos comunes en distinto grado de magnitud, cualidad o conservación.

TABLA - APENDICE *Indice de términos y Acotaciones al conjunto de los volúmenes* (*)			MATERIALES						
			Volátiles (2a)			*Fragmentarios (2b)*			
						Piroclastos de proyección aérea		*Piroclastos con señales de flujo*	
Volú-menes	ISLAS CANARIAS	CONCEPTOS BASICOS (1)	*Emanaciones gaseosas (fumarolas, solfataras)*	*Productos hidrotermales*	*Anomalías térmicas*	*Dep. material suelto y cementado (tobas)*		*Depósitos soldados*	
						Escorias, bombas, lapilli, cenizas	*Pómez, brechas explosivas*	*Nubes ardientes ignimbritas*	*Aglomerados, laares*
I	Tenerife	Magmatismo y Volc. Hipótesis origen Archipiélago	x	x	x	x	x	x	x
II	Fuerteventura	Sustrato insular "Complejos Basales"				x			
	Lanzarote		x	x	xx	x			
III	Gran Canaria	Petrología y Geoquímica de las rocas canarias				x	x	x	xx
IV	La Palma	El proceso eruptivo. Predicción y control de las erupciones	x	x	x	x			
	Gomera					x			
	Hierro					x			
V	Guía de itinerarios volcanológicos								

(*) En cada isla se especifican los aspectos que están bien representados, resaltándose (xx) los que son especialmente significativos o tienen un detallado tratamiento en el volumen respectivo.

(1) Algunos temas comunes, como la evolución del volcanismo, paleomagnetismo y geocronología, serán tratados específicamente en cada isla. Sin embargo, y para evitar repetición en los conceptos básicos, se han distribuido en los diferentes volúmenes con el siguiente criterio:

(1a) Los conceptos básicos sobre magnetismo y volcanismo, así como el encaje del fenómeno eruptivo en la moderna Geología, se establecen lógicamente en el primer volumen citado (Tenerife). Asimismo, Tenerife es la isla que tiene una mayor continuidad y variedad eruptiva, por lo que prácticamente exhibe todos los tipos de productos, edificios y estructuras volcánicas en sus distintos grados de conservación.

(1b) En las zonas más antiguas de las islas de Fuerteventura, La Palma y La Gomera, aflora una asociación de rocas

VOLCANICOS (2)							ESTRUCTURA Y MORFOLOGIA VOLCANICAS (3)								
Lávicos (2c)					*Filonianos (2d)*		*Fallas Diaclasas*	*Porosidad, flujo*	*Plateaux –trapp–*		*Edificios mixtos o múltiples*			*Calderas y mares*	
Coladas											*Centrales*				
«aa» y «en bloques» malpaís	*Pahoehoe y cordadas*	*Cúmulo domos, toloides*	*Bolas de acreción*	*Lavas submarinas, almohadilladas*	*Diques sills, venas*	*Pitones -Chimeneas, agujas, roques*	*Grietas retracción. Disyunción: prismática, radial, esférica, lajeada*	*Pliegues de flujo, burbujas, amígdalas*	*Apilamientos tabulares de coladas subhorizontales*	*Conos y escudos, cráteres y hornitos*	*Campos de volcanes*	*Estratovolcanes*	*Edificios lineares. Cordilleras, dorsales*	*de colapso, de explosión, de erosión*	*Túneles. Tubos. Jameos. Cuevas. Simas*
x	x	x	x		x	x	xx	x	x	x	x	xx	x	xx	x
x	x			x	xx	x	x	x	x	x					
xx	x		x		x	x	x	x	x	xx	x				xx
x	x			x	x	x	x	xx	xx	x				x	x
x	x			xx	x	x	x	x		x			x	xx	x
x	x				x	xx	x	x		x					
x	xx				x	x	x	x	x	x	x				x

plutónicas, sedimentarias y volcánicas submarinas, que constituye los denominados "complejos basales". La más extensa e interesante de estas formaciones es la de Betancuria, en Fuerteventura, por lo que en el volumen II, que incluye esta isla, serán estudiados con más detalle estos complejos basales. Además, en las islas orientales se ha realizado recientemente una amplia prospección geofísica con perfiles sísmicos profundos que han permitido interpretar el sustrato insular hasta profundidades de varios kilómetros. También Lanzarote presenta la mayor variedad de xenolitos, o trozos de rocas profundas –arrancadas y englobadas por el magma durante su ascenso–, que nos proporcionan una valiosa información sobre el sustrato insular.

(1c) Las islas centrales, y más concretamente Gran Canaria, presentan la mayor variedad litológica, estando representados casi todos los términos intermedios y extremos de la evolución magmática; de ahí que sea esta isla (volumen III) la región más adecuada para describir con cierto detalle los tipos de roca existentes en el archipiélago.

GEODINAMICA EXTERNA (4) (MODELADO)							ASPECTOS SOCIO-ECONOMICOS (5)	
La acción del mar y del viento				*Red de drenaje*		*Meteorización*	MEDIO AMBIENTE RECURSOS NATURALES Y CULTURALES	
Acantilados, Isla baja	*Rasa marina, playas levantadas*	*Playas actuales, barras*	*Dunas, erosión alveolar*	*Barrancos, mesas y cuchillos*	*Avalanchas, terrazas*	*Suelos, almagres-caliches*		
×				×	×	×	2.057 Km² 520.000 habitantes	Asentamientos de población Vías de comunicación Recursos minerales Materiales de construcción y ornamentación Energía geotérmica El agua La agricultura Parques Nacionales Ecología
×	××	××	×	×		××	1.731 Km² 20.000 habitantes	
×	×	×				×	836 Km² 47.000 habitantes	
×	×	××	×	××	××	×	1.532 Km² 570.000 habitantes	
×				×		×	730 Km² 80.000 habitantes	
×				××	×	×	378 Km² 24.000 habitantes	
×						×	277 Km² 7.000 habitantes	

(1d) Quizá el aspecto más apasionante del volcanismo sea el fenómeno eruptivo; por ello se describe ampliamente en el volumen IV la historia del último volcán surgido en Canarias (el Teneguía, en la isla de La Palma), cuyas características permitieron estudiarlo con gran minuciosidad.

El archipiélago canario es una región volcánica activa, lo cual implica que continúen las erupciones en nuestros días. La historia escrita de Canarias es relativamente reciente; por ello sólo están documentadas las erupciones a partir del siglo XV, e incluso falta una investigación seria sobre la exactitud de las informaciones y fechas que damos a continuación:

- La Palma: Tahuya (1585), Martín (1646), San Antonio (1677), Charco (1712), San Juan (1949), Teneguía (1971).
- Tenerife: Siete Fuentes (1704), Fasnia y Arenas de Güimar (1705), Garachico (1706), Chahorra (1798), Chinyero (1909).
- Lanzarote: Montañas de Fuego (1730-1736), Tao, Tinguatón y Nuevo (1824). La erupción de 1730-1736 es una de las mayores que ha conocido el hombre.

(2) Una clasificación y descripción genérica de los materiales volcánicos se encuentra en el volumen I. Obviamente, las características inherentes a cada tipo de productos se manifiestan más claramente en los que proceden de las erupciones recientes que todavía están poco afectados por la alteración o destrucción provocada por los agentes meteóricos.

(2a) Las emanaciones gaseosas de La Palma y Tenerife están asociadas al Teneguía y Teide, respectivamente. En las

Montañas de Fuego (Lanzarote) toda el área está desprendiendo volátiles en los que predomina el vapor de agua sobrecalentado, que es a su vez el responsable de las anomalías térmicas superficiales (100° en superficie y 300° a pocos metros de profundidad) más elevadas que se conocen en el mundo.

(2b) Lapillis y pómez son productos piroclásticos frecuentes en muchas áreas volcánicas. Más raras son las ignimbritas (descritas por primera vez en Canarias como *eutaxitas*) y casi desconocidos los aglomerados como la formación "Roque Nublo", de espectacular desarrollo en Gran Canaria.

(2c) Probablemente ninguna región volcánica del planeta presente en tan reducida superficie mayor variedad de productos lávicos.

(2d) A la abundancia y diversidad de diques y pitones en casi todas las islas –especialmente en las más antiguas y erosionadas– hay que sumar la espectacular malla filoniana del complejo basal de Fuerteventura, en la que el volumen de los diques supera al de la roca encajante.

(3) En la estructura interna y en la acumulación de los materiales volcánicos influyen a distinta escala una serie de factores, algunos de los cuales son inherentes al proceso efusivo (cráteres y calderas de explosión), otros a la combinación de los materiales emitidos y topografía preexistente (plateaux, tubos volcánicos, pliegues); el viento influye asimismo en la morfología de los conos de piroclastos y, en otro orden, las fallas, los hundimientos, la retracción de los materiales al enfriarse, etc. Todos estos aspectos aparecen en la mayoría de las islas con mayor o menor espectacularidad, destacando el "plateau" de Gran Canaria, el estratovolcán del Teide, los Organos de Gomera, los campos de volcanes y tubos de Lanzarote y las calderas de Taburiente en La Palma y Las Cañadas en Tenerife.

(4) En las islas volcánicas es quizá donde mejor pueden comprenderse el modelado y la evolución del paisaje, desde los episodios endógenos constructivos que crean un relieve hasta la destrucción total o parcial del mismo por la acción erosiva del mar, la lluvia, las corrientes de agua y el viento. El tiempo transcurrido desde la creación del edificio volcánico es, por supuesto, el factor principal de la geodinámica externa, junto al clima que impone la mayor o menor intensidad de los agentes meteóricos, a lo que hay que sumar finalmente las variaciones experimentadas por el nivel del mar.

La distinta edad de las islas, así como los diferentes períodos de interrupción volcánica en cada una de ellas, sus diferencias cuantitativas y cualitativas en cuanto a episodios eruptivos y finalmente su variado clima, condicionado tanto por la topografía como por la proximidad o alejamiento del continente, marcan claros contrastes en el paisaje que contemplamos actualmente. Prácticamente, hemos visto crecer algunas islas como La Palma y Lanzarote, donde las últimas erupciones han ganado terreno al mar en fechas recientes, mientras que islas como La Gomera se nos presentan en franco retroceso, ya que en ella no hay erupciones que compensen la erosión desde hace unos cinco millones de años.

(5) El tratamiento de los aspectos socio-económicos no es exhaustivo, ya que sólo se enuncian aquellas facetas que están más estrechamente vinculadas al medio ambiente volcánico, que por otra parte no presenta la misma problemática en todas las islas, bien sea por su tamaño, demografía u otras circunstancias geopolíticas que han condicionado su desarrollo. Alguno de estos temas será tratado con más detalle en determinadas islas; así, por ejemplo, la hidrogeología se centrará en los volúmenes dedicados a Tenerife y Gran Canaria, mientras que las posibilidades para la utilización de energía geotérmica las centraremos en Lanzarote.

Digamos también que aunque la totalidad del archipiélago debía tener la consideración de zona natural protegida, este carácter se reserva para los tres Parques Nacionales existentes: Las Cañadas (Tenerife), Caldera de Taburiente (La Palma) y Montañas de Fuego (Lanzarote), si bien los planes de conservación se extienden a otras áreas de singular interés ecológico.

La estadísticas demográficas son aproximadas, teniendo en cuenta los datos de 1974. En la superficie de Fuerteventura se incluye el islote de Lobos y en la de Lanzarote los de Montaña Clara, Alegranza y Graciosa, siendo esta última la única con población estable.

BIBLIOGRAFIA SELECCIONADA

Textos Básicos de Geología General

Geología

J. Agueda, F. Anguita, V. Araña, J. López y L. Sánchez.
Edit. Rueda (1978), Madrid, 448 págs.

The Earth

F. Press y R. Siever.
Edit. Freeman (1974), S. Francisco, 945 págs.

Textos Básicos de Volcanología

Volcanismo. Dinámica y petrología de sus productos.

V. Araña y J. López.
Edit. Istmo (1974), Madrid, 481 págs.

Volcanic landforms and surface features

J. Green y N. Short.
Edit. Springer-Verlag (1971), New York, 522 págs.

Cartografía Geológica de Tenerife

Mapa Escala 1: 100.000 (1 hoja).
Instituto Lucas Mallada (C. S. I. C.).
Edit. Instituto Geológico y Minero de España (1968).

Mapa escala 1:50.000 (10 hojas con memorias).
Instituto Lucas Mallada (C. S. I. C.).
Edit. Instituto Geológico y Minero de España (1968-69).

Publicaciones científicas de síntesis

Geología y Volcanología de las Islas Canarias. Tenerife.
Geology and Volcanology of the Canary Islands. Tenerife.
J. Fuster, V. Araña, J. Brandle, M. Navarro, U. Alonso y A. Aparicio.
Instituto Lucas Mallada, C. S. I. C. (1968), Madrid, 218 págs.

Contributions to the geology of Tenerife.
H. Hausen.
Soc. Sci. Fennica, 18-1 (1956), 211 págs.

Geologische Beschreibung der Insel Tenerife.
K. Fritsch y W. Reiss.
Wurster and Co. (1868), Winterthur, 496 págs.

Las Islas Canarias dentro del esquema de la tectónica de placas.
F. Anguita.
I Seminario sobre Tectónica Global. Fund. Gómez Pardo (1977), Madrid, preprint.

SPA-15. Estudio científico de los recursos de agua en Canarias.
UNESCO - M. O. P.
Madrid, 1975 (4 Tomos).